# Quiérete - ¡y mucho!
# 30 Días para aumentar tu autoestima

## Como superar la baja autoestima, la ansiedad, el estrés, la inseguridad y la duda en ti mismo

Marc Reklau

**Disclaimer**

This book is designed to provide information and motivation to our readers. It is sold with the understanding that the publisher is not engaged to render any type of psychological, legal, or any other kind of professional advice. The instructions and advice in this book are not intended as a substitute for counseling. The content of each chapter is the sole expression and opinion of its author. No warranties or guarantees are expressed or implied by the author's and publisher's choice to include any of the content in this volume. Neither the publisher nor the individual author shall be liable for any physical, psychological, emotional, financial, or commercial damages, including, but not limited to, special, incidental, consequential or other damages. Our views and rights are the same:

You must test everything for yourself according to your own situation talents and aspirations

You are responsible for your own decisions, choices, actions, and results.

Marc Reklau

Visit my website at www.marcreklau.com

"Ser tu mismo en un mundo que está constantemente tratando de convertirte en otra persona es el mayor logro."

**Ralph Waldo Emerson**

# Tabla de Contenido

# Introducción

Hablemos de un tema muy importante. La autoestima.

Nuestra autoestima afecta a todos los aspectos de nuestra vida: nuestras relaciones con los demás, nuestro nivel de autoconfianza, nuestro éxito profesional, nuestra felicidad, nuestra paz interior y el éxito que pretendemos alcanzar en el futuro. También es la causa subyacente de la mayoría de los trastornos psicológicos, no sólo a nivel individual sino también a nivel social.

A lo largo de los años, he visto a personas hacer saltos cuánticos y alcanzar sus objetivos más grandes al hacer un solo ajuste: aumentar su autoestima.

Las personas con baja autoestima son muy propensas a tomar malas decisiones al elegir a sus parejas, socios, proyectos o trabajos. Están menos motivadas y tienen menos probabilidades de alcanzar sus metas, y su rendimiento es bajo. Si logran sus metas y tienen éxito, no los pueden disfrutar realmente. Su constante necesidad de aprobación los hace muy dependientes de las opiniones de otras personas, y constantemente sienten que son víctimas de las circunstancias. Por lo general, son muy duras con ellas mismas y no llevan bien las críticas. La baja autoestima causa una ansiedad poco saludable, depresión y muchos síntomas psicosomáticos, incluido el insomnio.

Por supuesto, estoy hablando en términos generales, y cada persona es diferente y debe ser examinada de manera diferente, pero esas son las características que comúnmente aparecen en las personas con baja autoestima.

Las personas con alta autoestima, por otro lado, tienen confianza en sí mismas. Se permiten cometer errores sin sentirse culpables. Siempre están buscando nuevas formas de aprender y oportunidades de crecimiento. Se consideran dignas, incluso cuando son criticadas, y tienen una actitud positiva hacia sí mismas y hacia los demás. No se sienten incómodas al admitir sus errores, debilidades y vulnerabilidad, y viven completamente en el presente. Básicamente, tener una autoestima saludable significa ser feliz contigo mismo y creer que te mereces las cosas buenas que la vida tiene para ofrecerte.

Conociendo todos los efectos enormes de la baja y alta autoestima, la pregunta para cada uno de nosotros es "¿cómo puedo pasar de una baja autoestima a una gran autoestima, de lo poco saludable a lo saludable? ¿Cómo puedo mejorar mi autoestima?"

Desafortunadamente, cuando miramos a nuestro alrededor, vemos que hay mucho trabajo por hacer en el área de la autoestima. La razón es que durante nuestra infancia y juventud podríamos haber desarrollado creencias limitantes enraizadas en nuestro subconsciente y si bien es "divertido" culpar a nuestros padres, maestros o a todos los demás por nuestra baja autoestima, en realidad eso no nos ayuda a superar este problema.

Tenemos que asumir la responsabilidad y ser conscientes de que, sin importar lo que sucedió en nuestro pasado, somos capaces de reescribir nuestra historia, de construir una autoestima saludable y lo mejor de ello es que:

No hay secretos. Simplemente consiste en cambiar la opinión que tienes de ti mismo al modificar las creencias que tienes sobre ti mismo, tu vida, tus habilidades y tu valor intrínseco, y el libro que tienes en tus manos te ayudará. Te ayudará a deshacerte de creencias dañinas como "Soy una víctima indefensa y no tengo poder sobre lo que sucede en mi vida", "No soy lo suficientemente bueno", "No merezco cosas buenas en mi vida", "Hay algo malo en todos nosotros".

Si haces el esfuerzo y dedicas el tiempo para trabajar en tu autoestima, las recompensas serán increíbles:
Una mayor confianza en ti mismo, mejores relaciones sociales, mejores relaciones profesionales y hacer las paces con tu vida son algunas de ellas. Las críticas de otros ya no te molestarán más. Podrás expresar libremente tus pensamientos, sentimientos, valores y opiniones porque tu autoestima ya no proviene de la aceptación de los demás. Podrás enfrentar mejor las dificultades, la ansiedad, la depresión y las inevitables dificultades que surgen en la vida. Simplemente experimentarás más felicidad y disfrute en todas las áreas de tu vida.

Suena bien, ¿verdad?

## ¿Cómo usar este libro?

Hay muchas maneras de usar este libro. Lee todo el libro primero y familiarízate con los conceptos. Algunos de ellos serán fáciles de aceptar y te gustarán, otros serán más difíciles de aceptar. No te preocupes No eres el único al que le pasa esto.

Luego, lee el libro por segunda vez y comienza a trabajar. Puedes comenzar desde el principio y hacer un ejercicio tras otro, o puedes hacer primero los ejercicios que más te gusten.

Revisa el libro a tu ritmo y no dejes que la simplicidad de los ejercicios te engañe. Aunque muchos conceptos e ideas son bastante simples, pueden mejorar tu vida de manera significativa.

De todos modos, "sólo" leer el libro no será suficiente. Si quieres mejorar tu autoestima, también tienes que trabajar, pero te prometo que valdrá la pena.

Nota personal: trabaja más en los conceptos que menos te gustan. Sí. Has entendido bien. Trabaja más en los conceptos que menos te gustan. Esos que tu mente dice "Nada. No es verdad. Eso no es cierto para mí". Muchas veces las cosas que tienes que aprender son las que menos quieres aprender, las que rechazas al principio. Es lo que tiene nuestra mente.

Comencemos tu viaje para elevar tu autoestima ... ¡Diviértete!

# Parte I
# Tú tienes el control

## 1- Asume la plena responsabilidad de tu vida

Amigo/a ahora lee con atención. Ésta es una de las lecciones más importantes de todo este libro para tu autoestima:

Cuando las cosas no funcionan como queremos, a menudo somos rápidos para culpar a Dios, al Universo o a otras personas por ello. Lamento tener que ser yo quien te diga ésto: sólo hay una persona que es responsable de tu vida, ¡y esa persona eres TÚ! Ni tu jefe, ni tu cónyuge, ni tus padres, ni tus amigos, ni tus clientes, ni la economía, ni el clima, ni el presidente. ¡TÚ!

Si. Lo sé: Da miedo, pero al mismo tiempo es liberador. El día que dejes de culpar a los demás por todo lo que sucede en tu vida, todo cambiará. Cuando asumas el control de tu vida y tomes toda la responsabilidad por ello, tus relaciones mejorarán mucho.

Asumir la responsabilidad de tu vida es hacerte cargo de tu vida. En lugar de ser una víctima de las circunstancias, obtienes el poder para crear tus propias circunstancias o, al menos, el poder para decidir sobre cómo vas a actuar ante las circunstancias que la vida te presenta.

Como resultado de ésto, ya no importa lo que suceda en tu vida, sino la actitud que adoptes ante la situación. Y la actitud que adoptes es tu elección. Si culpas a los demás de la situación en la que estás en tu vida, estás entregando tu poder y dependes de las acciones de los demás para mejorar tu vida, y eso amigo mío te aseguro, no va a pasar. Si asumes toda la responsabilidad de tu vida, TÚ tienes el poder de cambiar las cosas que no te gustan de tu vida.

Tú tienes el control de tus pensamientos, acciones y sentimientos. Tú tienes el control de tus palabras, las series que ves en la televisión y las personas con las que pasas el tiempo. Si no te gustan tus resultados, cambia el *input;* tus pensamientos, emociones y expectativas.

Así que, amigo mío, ¿quién elegirás ser?

# 2 - Deja de quejarte

¿Te quejas mucho? En caso afirmativo, te insto a que pares ahora mismo. Quejarse es absolutamente inútil y no te beneficia en absoluto. Si tuviese el menor beneficio, te alentaría a continuar quejándote, pero no lo tiene. Es más. Es probable que a la mayoría de las personas a las que les cuentas tus quejas no les importen, y puede que hasta haya algunas que incluso estén contentas de que no te esté yendo bien. Les hace sentir mejor y no tan miserables en su propia piel.

Quejarse y la autocompasión que lo acompaña no son características muy atractivas. Así que, en lugar de quejarte de algo, pregúntate cómo puedes mejorarlo. ¿No estás contento con tu peso? Comienza a caminar media hora al día o haz ejercicio y come más sano. ¿No tienes tiempo para seguir tus sueños? Levántate una hora antes y haz un ritual matutino. ¿No estás contento con tu vida? Deja de culpar a tus padres, a tu jefe, al gobierno o a la economía y asume toda la responsabilidad.

Para con los hábitos tóxicos de quejarse y culpar a factores externos por no vivir una vida satisfactoria en este momento y empieza a vivir la vida que deseas. Comienza a hacer tus sueños realidad. No será fácil, pero definitivamente es factible. Deja de quejarte de "las circunstancias" y comienza a crear tus propias circunstancias. Muchas personas lo han hecho antes que tú, así que tú también puedes hacerlo.

# 3 - Toma tus propias decisiones

¿No es fascinante cómo algunas personas saben exactamente lo que TÚ debes hacer en cada situación siempre? Siempre están listas para darte sus sabios consejos, incluso cuándo no se los pides, lo que probablemente sea la mayoría del tiempo. Peor aun cuando ellas en sus propias vidas no son nada coherentes con lo que predican (si exacto, él o la que te ha venido a la mente). Por ejemplo, una persona obesa que te asesora sobre una alimentación saludable, una persona en bancarrota que te asesora sobre finanzas o una persona cuya vida familiar es un desastre y que te aconseja cómo llevar una buena vida familiar. La lista continúa. El único consejo que aceptaría de este tipo de personas es: "Haz lo contrario de lo que hago".

En mi vida hice una regla de oro para aceptar consejos sólo de personas que ya han logrado lo que yo quiero. Curiosamente, éstas son las que no te molestan con consejos constantes, no tienen este afán de protagonismo pero cuándo se lo pides, responden con alegría.

Sin embargo hay una cosa que está clara: Tienes que tomar tus propias decisiones. Lo que funciona para otras personas no está garantizado que funcione para ti, y es posible que tengas que modificarlo un poco de acuerdo a tu personalidad y tus hábitos. TÚ tienes la mejor información sobre tu vida y sabes mejor que nadie lo que funciona para ti.

Este libro que tienes en tus manos es un buen ejemplo. Una colección de cien cosas que ayudaron a las personas a elevar su autoestima. Tienes que jugar con él y probar cómo algunas de estas 100 formas funcionan para ti, y luego seguir practicando las que mejor funcionen para ti. Tomar dos o tres hábitos y practicarlos regularmente ya debería hacer la mayor parte del trabajo. Cuando los domines, agrega otros dos o tres y así sucesivamente.

El problema de si otras personas toman decisiones por ti es que existe la posibilidad de que las cosas salgan como ellas quieren y no como tú quieres, y peor aún, si siempre dejas que otras personas tomen decisiones por ti, nunca aprenderás a tomar tus propias decisiones. Un buen truco es escuchar las opiniones de otras personas muy atentamente y luego tomar tus propias decisiones. En primer lugar, porque solo tú conoces tu situación personal con exactitud y, en segundo lugar, porque también serás el único que tendrá que lidiar con las consecuencias - sin importar quién te asesoró en primer lugar. Por lo tanto, si ocasionalmente la "cagas", al menos lo haces a tu manera y no a la manera en la que otras personas te lo dijeron. De todos modos ellas tendrán una excusa para justificar que no fue culpa suya más rápidamente que la velocidad de la luz.

Tus decisiones no siempre serán perfectas, y no tienen que serlo. Pero como dije, es mucho mejor cometer tus propios errores y aprender de ellos, que hacer siempre lo que otras personas quieren que hagas, ¿verdad? ¡Tomar tus propias decisiones sólo tiene ventajas para ti!

# 4 - Deja de chismorrear

En el camino hacia una autoestima más saludable, es inevitable que tengas que dejar de lado el hábito tóxico de los chismes. Si bien al principio, podría ser tentador escuchar los últimos rumores sobre alguien, quizás te estés preguntando qué dirá de ti esta persona cuando no estés en la habitación. Lo mismo pasa cuando eres tú quien difunde las pequeñas historias sucias. Tus oyentes podrían preguntarse qué dices de ellos a sus espaldas.

¿Cómo puedes lidiar con los chismes cuando surgen? Cambia de tema. Di "Oh, preferiría saber más de ti. ¿Qué está pasando en tu vida?" o "Lo siento, pero no me gusta hablar de personas que no están presentes".

Los chismes y los rumores son dañinos y destructivos. Y ya sabes cómo va: a veces le contamos a alguien una historia bastante inofensiva y, de una persona a otra, la historia cambia por completo y puede dar lugar a enormes malentendidos.

Deja de contar chismes y ten conversaciones más profundas. La gente confiará más en ti y tus relaciones mejorarán. Todo el mundo quiere estar con una persona íntegra.

# 5 - Honra tus decisiones correctas

Somos muy rápidos para torturarnos a nosotros mismos por una o dos cosas que salieron mal, por una o dos malas decisiones. Pero ¿qué pasa con todas las cosas que hemos logrado? ¿Qué pasa con todas las decisiones correctas?

Sabes lo importante que es enfocarte, así que en lugar de machacarte por errores pasados, que ya no puedes cambiar, por mucho que te arrepientas, concéntrate en todos tus logros y celebra tus decisiones correctas.

¿Cuáles son las grandes cosas que has logrado hasta ahora en tu vida?

Para empezar, todavía estás vivo, por lo que debes haber hecho algo bien. ¿Qué más?

¿Terminaste la escuela secundaria, fuiste a la universidad? Tal vez viajaste por el mundo y tienes muchos grandes amigos ¿Criaste hijos maravillosos? Sí. Superar grandes reveses personales o una mala infancia también son grandes logros que deben ser honrados.

¿Qué retos superaste? ¿De qué reveses te recuperaste? ¿Qué éxitos has logrado? Ahora es el momento de mirar hacia atrás y celebrarlos.

Cuanto más reconozcas tus éxitos pasados, más aumentarás tu autoestima. Y como el poder del enfoque entra en juego verás más oportunidades para celebrar.

# 6 - Cree en Ti

El primer paso para elevar tu autoestima es creer en ti mismo. Tienes que crear esta inquebrantable creencia en ti mismo porque una cosa está clara: si no crees en ti mismo, ¿Cómo esperas que alguien más crea en ti?

Hazte cargo de tus creencias y de tu autoconcepto. ¡Nadie más puede hacerlo mejor que tú y comienza a construir la creencia en tu valía, tu talento y tu potencial.

Tengo una gran noticia para ti: ¡Creer en ti mismo es algo que se puede aprender! Puede llevar algo de tiempo y algo de entrenamiento, como todo lo demás, pero puedes trabajar en ello. Albert Bandera descubrió que el 56% del éxito como atleta está determinado por los niveles de esperanza del atleta y por cuánto crea que va a tener éxito. Si eso funciona para un atleta, ¿por qué no debería funcionar para TÍ en tu vida?

¿Cómo construyes creencias? ¡Repetición! Haz tus afirmaciones, incluso si no las crees al principio. Si las afirmaciones no funcionan porque tu crítico interno (aún) es demasiado poderoso, intenta con grabaciones subliminales, o hipnosis, o las Aformaciones de Noah St. John. Si has leído bien Aformaciones no afirmaciones Las Aformaciones son preguntas. En lugar de decir "Tengo una creencia inquebrantable en mí mismo y en mis habilidades", que tu crítico interno podría contrarrestar con "No, no la tienes. Eres un perdedor y siempre lo serás", Noah preguntaría "Por qué tengo una creencia inquebrantable en mí mismo?

¿Por qué todo lo que hago funciona?", Y ... mira ... ¡¡No hay respuesta del crítico interno !!

También puedes visualizarte a ti mismo como una persona que cree mucho en sí misma, o puedes "fingir hasta que te conviertas en ello", lo que significa que actúas, caminas y hablas como una persona con una creencia inquebrantable en sí misma.

# 7 - Deja de culpar a los demás por tus problemas

Deja de culpar a los demás por lo que tienes o lo que no tienes, por lo que sientes o lo que no sientes. Culpar a los demás no consigue nada y probablemente molesta a los que te rodean en el proceso. Acepta que estás a cargo de tu autoestima. Puedes culpar a tus padres, a tus hermanos, a tus maestros, a las relaciones que han fallado, al gobierno, a tu ex jefe, pero la única persona que es responsable de construir tu autoestima a partir de hoy eres tú.

Cuando culpas a los demás por las cosas que suceden en tu vida, les das el poder sobre ~~horrible~~ tu vida. Te conviertes en una víctima y sólo "los otros" pueden arreglar la situación. Tienen que cambiar *ellos* (y eso no sucederá). Y ésta amigo/a mío/a es una manera horrible de vivir. Siempre a voluntad de los demás.

Deja de ceder tu poder y toma responsabilidad por tu vida. Culpar a los demás es otra forma de poner excusas para tu triste vida. Construir una vida exitosa con excusas es imposible.

Eres el único responsable de las elecciones y decisiones de tu vida, y la mayoría (no todo) de las cosas que suceden en tu vida son consecuencias de acciones o decisiones pasadas. Asume la responsabilidad y sigue adelante. Si el problema está en el exterior, causado por los demás, solo puede resolverse desde el exterior. En ese caso, no puedes contribuir a la solución. Es por eso que tienes que enfrentarte al problema y hacerte responsable. Si la solución del problema está en tus manos, entonces es cuando puedes resolverlo. Eres la única persona que puede hacerte feliz y la única persona responsable de tu éxito y de tu autoestima.

Por supuesto, es genial culpar a nuestros padres por todos nuestros fracasos y nuestra baja autoestima. También es super fácil. Pero no es saludable y te impedirá mejorar. ¿De verdad permitirías que lo que tu madre, tu padre o un maestro te dijeron hace 20 años, definan tu vida hoy?

¡Por favor no! Toma responsabilidad Perdónalos. Ellos no lo sabían hacer mejor. Y en lugar de decir "Mi baja autoestima es culpa de mi madre" y no hacer nada, simplemente comienza a trabajar para mejorar tu autoestima con los ejercicios de este libro. Poco a poco. Estarás bien. Valdrá la pena.

# 8 - No critiques a los demás

No hagas a los demás lo que no quieres que otros te hagan a ti. ¿Te gusta ser criticado? Supongo que no. (Si te gusta, Felicidades - debes tener una autoestima muy saludable).

Resiste la tentación de criticar a otros. Es un pasatiempo peligroso. Puede darte satisfacción, diversión o incluso la sensación de ser superior durante un momento, pero a largo plazo, puede que te cueste algunos amigos queridos, e incluso puedes crear algunos enemigos. Es uno de los hábitos de las personas tóxicas que no deseas tener a tu alrededor, lo que significa que si criticas mucho, es posible que algún día las personas no quieran tenerte cerca de ellas.

Es peligroso concentrarse todo el tiempo en las debilidades de los demás. Es posible que te acostumbres tanto a esa perspectiva que un día incluso se vuelva en tu contra. La crítica es un comportamiento absolutamente inútil. La negatividad que difundirás afectará a tu propia felicidad y a la felicidad de quienes te rodean.
Deja de preocuparte por los defectos de otras personas y concéntrate en ti mismo. Concéntrate tanto en mejorar tu propia vida que no tengas tiempo para criticar a los demás y siempre recuerda una cosa: **los que pueden, HACEN, los que no pueden, critican.**

# 9 - Deja de juzgar

En tu camino hacia una vida más feliz, más satisfactoria y para construir una autoestima saludable, un hábito tóxico que debes dejar atrás es el hábito de juzgar a los demás. Juzgar va de la mano de los malos hábitos de culpar y quejarse, y evitará que seas feliz y desarrolles tu autoestima.

Acepta a los demás sin juzgarlos, y sin expectativas. Camina un kilómetro en sus zapatos antes de juzgarlos, ya que quieres que caminen un kilómetro en tus zapatos antes de juzgarte.

Todas las personas que encuentras en tu viaje llamado vida están librando su propia batalla única, y no tenemos idea de con qué están lidiando, al igual que ellos no tienen idea por lo que tú estás pasando.

Simplemente deja de juzgar y muestra algo de empatía. Es más fácil decirlo que hacerlo, pero no hay forma de evitarlo.
¿Sabías que cada vez que estás juzgando a alguien realmente te estás juzgando a ti mismo?

Las cosas que más te molestan de los demás son en realidad las cosas que más te molestan de ti. Entonces, piensa un poco. Sé consciente de lo que más te molesta de los demás y aprende de ello. ¿Te molesta que un amigo sea siempre impuntual? ¿Eres puntual? ¿Eres demasiado puntual y sería bueno relajarte un poco?

Una vez, un amigo se me quejaba de que sus clientes siempre cancelaban sus sesiones de coaching en el último minuto. Lo que no notó fue que a menudo *él* cancelaba *nuestras* reuniones en el último minuto.

Haz una lista de lo que más te molesta de los demás y reflexiona un poco sobre ello. ¿Qué dice sobre ti?

# 10 - Renuncia a la culpa

La culpa es una de las emociones más destructivas, y el mundo está lleno de personas que se sienten culpables. Lo peor es que es un sentimiento innecesario. Se podría escribir un libro completo sobre la inutilidad de esta emoción. No sería un problema si pudiéramos sentirnos culpables por un par de minutos y luego continuar con nuestras vidas, pero desafortunadamente, muchos de nosotros vivimos con culpa crónica. Nos sentimos culpables todo el tiempo por todo, lo que afecta gravemente nuestra autoestima. En primer lugar, toda culpa se centra en tus errores, en lugar de en todas las cosas que estás haciendo bien, y en segundo lugar, el doloroso sentimiento de culpa podría llevarte a dudar de ti mismo como persona, lo cual es tóxico para tu autoestima .

¿Y Por qué nos sentimos constantemente culpables? Porque hemos estado condicionados a sentirnos culpables durante toda nuestra vida. Consciente o inconscientemente, desde nuestra infancia, nuestra familia, amigos, sociedad, escuela, seres queridos y la religión ha alimentado nuestra culpa y la han reforzado mediante el sistema de recompensa y castigo.

Siendo niños, todos nos recordaban constantemente nuestro mal comportamiento y nos comparaban con otros niños que se estaban comportando mucho mejor. La culpa fue usada para manipularnos. Los mejores manipuladores saben que sólo haciendo que una persona se sienta lo suficientemente culpable, puede ser manipulada para que haga cualquier cosa para volver a estar bien contigo. Las armas de su elección fueron frases como: "Qué pensarán los vecinos?". "¡Nos has avergonzado!". "¡Nos has decepcionado!" "¿Dónde están tus modales?", Nuestros queridos utilizaban la frase común "Si realmente me quisieras harías _____" y como aprendemos rápidamente, también usamos el famoso "Los padres de _____ le dejan hacer" con nuestros padres.

Lo malo es que este tipo de tratamiento durante un tiempo nos hace sentir culpables, incluso si no hicimos nada malo. Además, durante mucho tiempo, la culpa se ha asociado con preocuparse por algo o alguien de manera que si realmente te importa, tienes que sentirte culpable, y si no te importa y no te sientes culpable, eres una mala persona. Nada está más lejos de la realidad.

La culpa se manifiesta de muchas maneras. Hay culpa entre padres e hijos, culpa entre hijos y padres, culpa a través del amor, culpa inspirada en la sociedad, culpa sexual, culpa religiosa y la forma más destructiva de culpa: la culpa autoimpuesta. El último se refiere a la culpa que nos imponemos a nosotros mismos. En muchos casos, al sentirnos culpables, intentamos demostrar que lamentamos lo que hicimos, pero lo que realmente estamos haciendo es torturarnos por algo que hicimos y ya no podemos cambiar. Terminamos diciendo lo que la gente quiere que digamos, haciendo lo que ellos quieren que hagamos y nos conformamos con complacer a los demás, lo que resulta en la **necesidad** de siempre causar una buena impresión.

Para recapitular: la culpa no te sirve en absoluto; sólo te

causa un daño emocional real y te hace sentir despreciable. Detén la ilusión de lo que es la culpa ahora mismo. Es lo mejor que puedes hacer. La culpa te mantiene prisionero de tu pasado y te impide actuar en el presente. Hay una gran diferencia entre sentirte culpable y aprender de tus errores. La culpa siempre conlleva un castigo, que viene en muchas formas, incluyendo depresión, sentimientos de insuficiencia, falta de confianza en uno mismo, baja autoestima y la incapacidad de amarnos a nosotros mismos y a los demás.

Lo bueno es que cuanto más trabajes en tu autoestima y autenticidad y cuanto más te rodees con las personas adecuadas, menos culpable te sentirás. Siempre cuando te sientas culpable, recuerda que es una emoción innecesaria y aprende del error. Eso es. Eso es todo lo que tienes que hacer.

# 11 - No escuches a tu crítico interno...

El peor enemigo que te encontrarás en tu vida es el que te mira a la cara cuando te miras al espejo. Se encuentra justo entre tus orejas y también se conoce como tu cerebro o tu mente. Nadie jamás emitirá un juicio más duro y más severo sobre ti que TÚ. Para desarrollar una autoestima saludable, tienes que domesticar a tu crítico interno.

Esa pequeña voz cabronceta que sigue señalando tus errores y destruye tu autoestima y que te desanima cada vez que algo sale mal. Esa voz interior que siempre te dice cosas como "debería haber hecho..." "¿Por qué no hice tal" o "¿qué me pasa?". "Sabía que fallaría", "No soy lo suficientemente bueno". Lo peor es que no puedes huir de esta voz; Es difícil silenciarlo, por lo que debes enfrentarla de frente y aprender a mantenerla a raya.
Escucha el diálogo interno negativo, pero no lo aceptes. Escucha más "la otra" voz interior, la que siempre te apoya, te entiende y cree en ti. La que es compasiva, amable y cariñosa y siempre te anima y motiva.

Cuando trabajas en algo, y de repente empiezas a dudar o sientes que tu energía disminuye. Cuando estás atascado, aburrido o cansado de la tarea en la que estás trabajando, es cuando tu crítico interno comienza a hablarte. Escucha, pero no lo tomes en serio. No te resistas. Responde a la conversación negativa con "¿Y qué?", "¿A quién le importa?", "Me aburres", "¿Porque no te callas?", "Simplemente vete y déjame hacer mi trabajo". Entonces sigue con lo que estás haciendo no importa lo que diga el crítico interno y sigue sumergiéndote en tu trabajo. Cuanto más consciente seas de tu crítico interno, menos podrá herirte. Identifica al juez. Una vez que lo hayas identificado, también sabrás lo que tienes que hacer para sacártelo de la cabeza.

La buena noticia es que cuanto más trabajes en tu autoestima por ejemplo con afirmaciones, celebrando tus éxitos pasados, meditación y otras técnicas, más baja será la voz. La autoestima duradera viene de conocerse a sí mismo. Saber quién eres realmente y aceptarlo.

No dejes que tu Gremlin interior te robe tu bondad intrínseca, te haga dudar de tu valía o de tu talento. No dejes que siembre dudas y caos en tu mente. No compres sus mentiras de que nadie te ama y nadie se preocupa por ti. Tú eres importante.

# 12 - Deja de competir

Aunque pueda parecerlo, la vida no es una competición. La única persona con la que estás compitiendo es contigo mismo. Con la persona que eras ayer y centrándote en la persona en la que te quieres convertir.

No se trata de ganar a los demás; se trata de estar contento contigo mismo y de mejorarte continuamente.

Dicen que el mundo es un lugar competitivo, pero sólo para aquellos que sienten la necesidad constante de competir. Nos hicieron creer que la competencia es saludable, que la competencia es necesaria, que la competencia nos da sentido, propósito y dirección. Pues están equivocados.

Cuando estás seguro de ti mismo y de tus habilidades, ¿sientes la necesidad de competir? ¿Necesitas ser mejor que nadie? ¿Sientes la necesidad de compararte con todos los que te rodean? ¿Necesitas la validación de otros para que te digan lo bien que lo estás haciendo?

Una persona con alta autoestima no siente la necesidad de competir; este tipo de personas no necesitan ser mejores que nadie, no necesitan la validación del exterior. Ni siquiera necesitan una recompensa por hacer un buen trabajo, porque saben que están haciendo lo mejor que pueden y porque saben que no se trata del resultado, sino del viaje.

Una persona con alta autoestima reconoce su potencial por lo que es y se esfuerza por lograr la excelencia en su vida. Únicamente compite con ella misma. El objetivo es alcanzar un mayor crecimiento personal y lograr la excelencia en todo lo que quiere hacer.

Conviértete en esa persona. Deja de competir.

# 13 - Mantén tu palabra

Mantener tu palabra es una forma de aumentar tu autoestima que la mayoría de las veces se ignora por completo. Cada compromiso que haces, incluso aquellos que haces con otras personas, es en última instancia un compromiso contigo mismo. Si no cumples con tus compromisos y promesas, poco a poco perderás la confianza en ti mismo. Pagas un alto precio psicológico y emocional cada vez que mientes, engañas o haces trampa porque te estás enviando el mensaje "mi palabra no vale nada. Por lo tanto, YO no valgo nada". No perjudiques tu autoestima y cumple con tus compromisos.

- Entrega más de lo esperado en todo lo que haces y no hagas promesas que no puedas cumplir.
- Si dices que vas a estar en algún lugar, estate allí.
- Si dices algo a alguien, siéntelo. No digas palabras vacías
- Haz lo que dices que vas a hacer.
- No mientas. Si descubres que no puedes, no quieres o no harás algo, di la verdad de inmediato.
- No juegues con las emociones de la gente. No digas medias verdades si quieres que las personas - y tú mismo - confíen en ti.

Ten mucho cuidado con tus conversaciones. ¿Estás diciendo cosas sólo para impresionar y no eres auténtico? Cuando dices la verdad, el mensaje que te comunicas a ti mismo es que tus palabras son dignas, tus palabras son importantes. Tú eres importante. Cuando decimos mentiras o cuando se trata de impresionar constantemente, lo que estás diciendo es: NO SOY LO SUFICIENTE BUENO COMO SOY. Necesito ser otra persona para que los otros me quieran. Y así nuestra autoestima y nuestra confianza en nosotros mismos recibe un duro golpe.

En lugar de hacer promesas que no puedes cumplir, prometer grandeza y luego entregar mediocridad, haz lo contrario: promete menos y supera las expectativas. Esto aumentará tu valor personal no sólo a los ojos de los demás, sino también en los de tu crítico más duro: Tú mismo. Hará que la gente se sienta bien porque parece que estás superando las expectativas y haciendo todo lo posible cada vez. Practicando este hábito también experimentarás mucho menos estrés y estarás más relajado.

# 14 - Actúa. Haz que suceda

Johann Wolfgang von Goethe ya sabía hace cientos de años que "todo lo que hagas, o sueñes que puedes hacer, comiénzalo. La audacia tiene genio, poder y magia."

¿Planificas cosas y luego te entristeces si no salen como esperabas? Si ésto te sucede a menudo, es posible que te falte un ingrediente esencial de la fórmula. Soñar con el futuro y planearlo es genial, pero no es suficiente. Para convertir tus sueños en realidad, debes HACER.

Si deseas alcanzar tus metas, debes esforzarse mucho y, lo más importante, ACTUAR. Simplemente sentarte en tu sofá e imaginar y visualizar una vida mejor no es suficiente.

Tomar acción, hacer que las cosas sucedan es uno de los secretos del éxito y de la felicidad en la vida. Hablar sólo de tus sueños, planes y metas no es suficiente. Son los resultados los que cuentan, y sin acción, no hay resultados.

La mayor diferencia entre las personas que alcanzan sus metas y las personas que se quedan estancadas es la ACCIÓN.

Las personas que alcanzan sus metas son personas que realizan acciones de manera consistente. Si cometen un error, aprenden de él y continúan; Si son rechazados, vuelven a intentarlo.

Se una persona proactiva. Una persona que toma acción. Si realmente quieres algo, lo más probable es que tengas que salir y ganártelo.

# 15 - Deja de hablar, empieza a hacer

C.G. Jung lo dijo correctamente: "Eres lo que haces, no lo que dices que harás". Hay demasiadas personas que quieren cambiar el mundo pero nunca tomaron una pluma para comenzar a escribir un libro o un artículo o hicieron algo acerca de ello. Es mucho más fácil quejarse de nuestros políticos que comenzar una carrera política o ser más activo en política.

Tu vida está en tus manos, así que empieza a actuar para dar forma a tus ideas. No tienes que enfrentarte a grandes desafíos a la vez. Haciendo pequeñas cosas a diario puedes lograr excelentes resultados. Atrévete a hacer las cosas que quieras y encontrarás el poder para hacerlas. Y por supuesto, ¡COMIENZA AHORA!

Recuerda: las acciones hablan mucho más fuerte que las palabras. Las personas que sólo hablan sobre lo que van a hacer y no son coherentes con lo que dicen se quedan estancadas. Pero lo que es aún peor es que ésto puede afectar su autoestima. Cada vez que dices algo y no lo haces, tu autoestima sufre. Tiene que haber coherencia entre lo que decimos y lo que hacemos. Cuando comunicamos pero no hacemos lo que decimos, principalmente lo que nos estamos comunicando a nosotros mismos es: "Lo que digo no es importante. No importa".

No esperes más. El momento adecuado nunca llega.

Simplemente comienza con lo que tienes y da un paso a la vez. Haz lo que Martin Luther King, Jr. dijo: "Toma el primer paso con fe. No tienes que ver toda la escalera, sólo da el primer paso". Deja de hablar. Empieza a hacer. Ahora.

# 16 - Deja de postergar tus metas

Mientras algunas personas sueñan con el éxito, otras se despiertan temprano y trabajan duro para lograrlo. Muchas veces, tenemos una resistencia contra la acción y el cambio cuando más necesitamos esos dos. Necesitas un poco de disciplina, pero las recompensas de dejar de postergar las cosas son enormes.

Dejar las cosas para más tarde las hace más difíciles y más aterradoras. No hay nada peor y más estresante que una nube negra de las tareas pendientes encima de ti. Es como un peso adicional en tus hombros que no te permite disfrutar de lo que estás haciendo. Deja de posponer las cosas. Sólo causa ansiedad. La mayoría de las veces, te darás cuenta que las cosas que postergaste, en realidad se pueden hacer bastante rápido con el beneficio de que después te sentirás mucho más ligero y podrás olvidarte de ello.

Procrastinar es evitar algo que debe hacerse. Es posponer las cosas con la esperanza de que mágicamente mejoren o desaparezcan sin hacer nada al respecto. El problema es que la mayoría de las veces las cosas no mejoran por sí solas… ¡empeoran!

Muchas veces, la causa de la procrastinación es el miedo. Miedo al rechazo, miedo al fracaso, incluso miedo al éxito. Otra fuente es sentirse abrumado.

Estas procrastinando cuando …

... **no haces nada** en lugar de lo que deberías estar haciendo.

... **estás haciendo algo menos importante de** lo que deberías estar haciendo.

...**estás haciendo algo más importante de** lo que deberías estar haciendo..

El secreto para empezar es simplemente eso: Empezar. Simplemente hazlo. Por lo general, al comenzar, acumulas suficiente impulso para seguir adelante. Simplemente concéntrate en dar el primer paso. Comienza dando un pequeño primer paso. Y luego otro. Y otro. Estos pequeños pasos se sumarán a resultados reales con bastante rapidez. La única diferencia entre las personas que alcanzan sus metas y las que no lo hacen, entre personas exitosas y no exitosas, es una cosa: tomar acción. Hazlo ahora. Dentro de un año agradecerás que hayas comenzado hoy.

La única diferencia entre quién quieres ser y quién eres ahora es lo que haces a partir de hoy. Tus acciones te llevarán allí. No será fácil. Habrá dolor, necesitarás fuerza de voluntad, dedicación, paciencia y necesitarás tomar algunas decisiones difíciles. Puede que incluso tengas que dejar ir a algunas personas de tu vida.

Muchas veces darte por vencido será más fácil que continuar. Tendrás la tentación de rendirte muchas veces, pero recuerda una cosa: cuando alcances tu meta, todo el sacrificio habrá valido la pena.

Cuando estas tentado de procrastinar, pregúntate: "¿qué precio pagaré por postergar esta tarea?", "¿Vale la pena que me sienta agobiado y pierda el sueño por una tarea que podría haber terminado en una o dos horas? "

¡El mejor momento para comenzar cualquier tarea siempre es AHORA!

# Parte II
# El Trabajo Interior

## 17 - Conócete a ti mismo

Todo empieza conociéndote a ti mismo. Es "el principio de toda sabiduría" como dijo Aristóteles hace más de 2000 años.

El primer paso para comenzar a trabajar en tu autoestima es conocerte a ti mismo. Descubre tus deseos, tus valores, tus opiniones sobre el mundo, las personas que te rodean y, sobre todo, la opinión que tienes sobre ti mismo.

La mayoría de las veces, estas opiniones y valores están influenciados por nuestra educación, por lo que es difícil distinguir si son realmente nuestros, o si han sido "impuestos" por nuestra familia, iglesia, cultura o sociedad.

Cualquiera que sea el caso, de donde quiera que vengan, sin esforzarnos en conocernos a nosotros mismos, no lo averiguaremos. Es necesario encontrar nuestra dirección, nuestra propia manera de seguir y, por último, nuestro propósito. No pospongas este importante trabajo como lo hice yo durante muchos años. Una vez que comencé a conocerme, mi vida mejoró más allá de mi imaginación.

Las siguientes preguntas pueden ayudarte a conocerte mejor. Respóndelas honestamente.

¿Qué te motiva en la vida?

¿Qué es lo que deseas?

¿Estás trabajando para hacer realidad tus mayores deseos?

¿Qué es lo que realmente te gusta hacer?

¿Qué no te gusta hacer?

¿Haces cosas en tu vida que no te gustan? ¿Por qué?

¿Cuáles son tus fortalezas y cómo pueden ayudarte a superar las dificultades?

¿Cuáles son tus debilidades?

Ésto es para que lo hagas tú. No pidas las opiniones de otras personas. No te compares con los demás, solo compárate contigo mismo y cómo has mejorado, y pregúntate cómo puedes seguir mejorando.

Toma riesgos. Comete errores. Comienza a tomar pequeñas decisiones sin la ayuda o el consejo de otros. Comienza a preguntarte a ti mismo el "por qué" de las cosas y examina ciertas actitudes tuyas.

En mi página web www.marcreklau.com, puedes descargar un cuestionario completo sobre cómo conocerte a ti mismo y algunas otras hojas de trabajo.

# 18 – Ámate a ti mismo primero

¿Quieres elevar tu autoestima rápidamente? Aprende a amarte a ti mismo. El amor propio es uno de los pilares de la autoestima. Cuando el amor propio crece, la autoestima también lo hace. El problema es que en nuestra sociedad, el amor propio se ha convertido en sinónimo de egoísmo, arrogancia y narcisismo. Esto es basura absoluta. La arrogancia y el narcisismo no son un signo de autoestima, sino un claro indicador de su falta. En este capítulo, hablaremos sobre el verdadero amor propio. Olvídate de todo lo que tus padres, maestros y sacerdotes te han dicho, mantén una mente abierta y sumérgete en este capítulo del amor propio.

Se nos dice que amemos a nuestro prójimo como a nosotros mismos, pero la mayoría de las veces amamos al prójimo, pero no nos amamos a nosotros mismos. Vemos lo bueno en los demás y no lo vemos en nosotros mismos. Abandonamos la relación más importante que tenemos en nuestras vidas ... La relación con nosotros mismos.

De aquí en adelante la regla de oro para tu autoestima será: ¡Ámate a ti mismo como amas a tu prójimo! Sé tan indulgente contigo mismo como lo eres con tu prójimo. Quiérete a ti y otros comenzarán a quererte. No puedes esperar amar a los demás si no te amas a ti mismo primero.

Acéptate como eres y recuerda que no tienes que ser perfecto para ser genial.

Comienza a pasar más tiempo con la persona más importante en tu vida: CONTIGO MISMO. Disfruta de ir al cine con la mejor compañía que puedas imaginar: ¡CONTIGO MISMO! Siéntete cómodo con pasar un tiempo solo. Encuentra un lugar donde puedas desconectarte de la veloz vida cotidiana y donde puedas permitirte ser tu mismo. Permítete ser humano.

Reconoce tu valor como persona. Que sepas que mereces respeto. Si te equivocas, no te castigues por ello. Acéptalo, y comprométete a hacer todo lo posible para no repetirlo. Eso es.

¡Se egoísta! No egocéntrico. Egoísta. Sólo estando bien contigo mismo puedes transmitir este bienestar a tu entorno. Si te sientes bien, todos se benefician. Serás un mejor esposo, esposa, hijo, hija o amigo, etc.

Todo comienza con amarte a ti mismo.

# 19 - Acepta tus emociones

No eres un esclavo de tus emociones, incluso si a veces te sientes así. Eres el único responsable de tus emociones. No son los otros los que causan tus emociones; Es TU reacción a lo que otros dicen o hacen. Tus emociones provienen de tus pensamientos y ya has aprendido que puedes entrenarte para controlar tus pensamientos. Una emoción es energía en movimiento, una reacción física a un pensamiento. Si puedes controlar tus pensamientos, entonces eres capaz de gestionar tus emociones.

Es de suma importancia que aprendas a aceptar tus emociones y también aprendas que no hay emociones "buenas" o "malas". Las emociones son sólo eso, y cada emoción tiene su función: el miedo te protege. La ira te permite defenderte, poner límites y mostrar a los demás lo que te molesta. La tristeza te permite llorar e identificar una falta. La felicidad te permite sentirte bien, etc.

Conéctate a tus emociones y sabe cómo expresarlas. Nunca, nunca las descuides ni las oprimas. Eso sólo empeoraría las cosas. No te engañes y digas "Estoy feliz" si estás profundamente triste. Analiza de dónde viene la tristeza y permítete ser humano. No hay nada malo en estar triste, decepcionado, enojado o envidioso de vez en cuando, pero una vez que notes este tipo de emociones que surgen dentro de ti, analiza de dónde provienen.

Conviértete en un observador y observa a dónde te llevan tus emociones. Míralas pasar como las nubes en un cielo azul. Acéptalas cómo aceptas los días de lluvia. Cuando miras por la ventana y llueve, aceptas la lluvia como parte del clima meteorológico, ¿verdad? - Sabes que no significa que llueva todo el tiempo y todos los días. Haz lo mismo con la ira, la tristeza, el miedo, etc.

El hecho de que aparezcan en un momento dado no significa que estarán allí para siempre. Escribir sobre tus emociones a menudo te ayudará a sacarlas de tu sistema. Si estás enojado con alguien, escríbele una carta o un correo electrónico. Sin embargo no lo envíes. Déjalo parado durante un día y mira cómo te sientes con respecto a esa persona al día siguiente.

Aprende a manejar tus emociones, lo que significa percibirlas, usarlas, entenderlas y administrarlas. Se hace de la siguiente manera:

1) Percibe y expresa emociones y permítete sentirlas.
2) Facilitación de las emociones. Pregúntate a ti mismo cómo puedes sentir una emoción diferente.
3) Comprende por qué está surgiendo la emoción. Siempre hay una razón y una creencia subyacente.
4) Ajuste emocional Ya sabes por qué se sintió la emoción.

Gestionar tus emociones tiene enormes ventajas: te recuperas mejor y más rápido de los problemas y contratiempos. Logras un mayor y más consistente rendimiento en el trabajo. Puedes evitar que esas tensiones se acumulen para destruir tus relaciones. Gobiernas tus impulsos y emociones conflictivas. Te mantienes equilibrado y sereno incluso en momentos críticos.

## 20 - No eres tus acciones

Aunque otros puedan decirte algo diferente ... no eres lo que haces, lo que significa que no eres tus acciones. Tus acciones pueden ser inteligentes o no tan inteligentes a veces, pero eso no te convierte en una persona tonta. Te hace una persona inteligente, que ha tomado decisiones tontas. Pasa a los mejores. A veces, actuamos impulsivamente sin pensar en las consecuencias de nuestras acciones, y otras veces actuamos sin saber por qué actuamos. Nadie es perfecto. Aprende de ello.

Es fácil juzgar nuestras decisiones como "incorrectas" después de haber visto el resultado. Sí. Tal vez deberíamos haber hecho algo diferente. Además, en el momento de tomar la decisión, no parecía tan incorrecto. Parecía ser la mejor opción. Y probablemente lo fue, teniendo la información que tenías en ese momento.

Tus acciones (en la mayoría de los casos) no tienen nada que ver con tu valor como persona. No te identifiques con lo que haces. No cometer errores (aparte de ser imposible) no te convierte en una persona más valiosa, por lo que cometerlos no te hace menos valioso. Incluso si has actuado estúpidamente de vez en cuando, tu valor como persona sigue siendo el mismo.

Siempre haces lo mejor que puedes. Lo mejor que puedas en ese momento, según tu nivel actual de crecimiento personal y conciencia.

Tus decisiones y acciones siempre se basan en tu nivel de conocimiento en ese momento.

Puedes hacer o decir cosas de las que te arrepentirás más adelante, debido a tu nivel actual de conciencia. Hagas lo que hagas o no hagas. Digas lo que digas o no lo digas. Siempre es lo mejor, incluso si lo mejor es defectuoso o imprudente.

No dejes que las decisiones y acciones imprudentes o falsas ataquen tu valor intrínseco como persona, sólo haz lo posible por aprender de tus errores y no repetir decisiones y acciones estúpidas en el futuro. Eso es todo.

# 21 - Supera el perfeccionismo

Las personas con una baja autoestima tienden a tener un alto nivel de perfeccionismo, que es una combinación horrible y una receta segura para la frustración y la ansiedad. ¿Superarás el perfeccionismo elevando tu autoestima? Sí lo harás. ¿O superar el perfeccionismo elevará tu autoestima? Si lo hará. Funciona en ambos sentidos. Echemos un vistazo a la superación del perfeccionismo.

Una vez más el autoconocimiento es la clave. Saber lo que queremos y lo que no queremos es la clave para superar el perfeccionismo. Se trata de aceptar la realidad. Acepta tus emociones, acepta que es difícil. Si te acaba de pasar algo, es posible que no puedas cambiarlo, pero es posible que puedas cambiar tu interpretación de lo que sucedió. A menudo es una cuestión de perspectiva. ¿Realmente va a importar en diez años? ¿En un año? ¿Vale la pena estar preocupado y molesto?

Para superar el perfeccionismo, debes comenzar por centrarte en el esfuerzo y recompensarlo. Recompénsate por los fracasos, por intentarlo una y otra vez. No estoy bromeando. A estas alturas, ya sabes que no hay otra forma de aprender. Sí, el fracaso duele, pero duele menos cada vez.

También superas el perfeccionismo por aceptación. Aceptación del exterior, así como aceptación de ti mismo. Date cuenta de que no tienes que ser perfecto. De Verdad. Puedes confiar en mi palabra. Acepta "cosas" y actúa, haz frente a las cosas, arriésgate a sentir y, por último, pero no menos importante, acepta tus puntos débiles y utilízalos como una herramienta para el crecimiento. Siempre pregúntate: "¿Cuál es la oportunidad de crecimiento aquí?"

¿Ves ya que podrías superar tu perfeccionismo haciendo estas cosas?

Como siempre, el cambio se produce mediante la introducción de nuevos comportamientos como, por ejemplo, arriesgar un poco más, pero también mediante la visualización de nuevos comportamientos: imaginándote, viéndote a ti mismo y comportándote como una persona comprometida con la excelencia y comprometida a hacer lo mejor posible.

Si tu perfeccionismo te impide escribir un trabajo, un libro o comenzar un proyecto, utiliza la técnica del "primer borrador". Dite a ti mismo que sólo es un "borrador" y que ya lo mejorarás más adelante (como hacen las empresas de software con sus versiones 1.1, 1.2, 1.5, etc.). Esto te quitará la presión y te ayudará a hacer las cosas.

Sí. Incluso tienes mi permiso para distraerte de vez en cuando. A veces, es mejor distraernos cuando surge un pensamiento negativo. Analizar o incluso sobreanalizar no es siempre la solución. Sal a correr, escucha música, toma un descanso y vuelve al tema en cuestión más adelante.

Aplícate a ti mismo las mismas reglas que aplicas a los demás, es decir "No te hagas a ti mismo lo que no les harías a los demás", o mejor dicho, trátate como tratarías a un amigo en la misma situación. ¿Qué harías cuando un amigo te fallase terriblemente? ¿O si él o ella cometiese un error? Estoy seguro de que serías mucho más amable con ellos que contigo mismo, ¿verdad? Comienza a tratarte a ti mismo como tratarías a los demás. Acepta el fracaso en ti mismo de la misma forma en que lo harías con los demás, en las personas que amas y, por último, ten compasión por ti mismo, no sólo por los demás.

La próxima vez que notes que tu perfeccionismo te invade, prueba algunos de los ejercicios mencionados y, como siempre, tómate un tiempo. Estás re-entrenando tu mente. No importa lo que te hayan dicho o lo que te has dicho a ti mismo: es sólo una cuestión de práctica.

# 22 - Cuidado con la falsa autoestima

No confundas tener autoestima real con la actitud y el comportamiento de las personas narcisistas, egoístas y arrogantes. Éstos no son signos de autoestima, sino de la falta de ello y se llama pseudo-autoestima o falsa autoestima.

La pseudo autoestima es sólo la pretensión de la autoestima y el respeto a sí mismo sin la realidad de ello. Consiste en la ilusión de tener las características de la verdadera autoestima más que nada.

Pero todos lo sabemos. Alguien que entra en una habitación presumiendo, fardando, pareciendo un pavo real, probablemente no tiene una alta autoestima. De hecho, este comportamiento es exactamente lo contrario de una autoestima saludable. Las personas con mayores niveles de autoestima son en su mayoría humildes y no necesitan mostrar constantemente lo fantásticos que son.

El verdadero propósito de las personas con falsa autoestima es protegerse para disminuir la ansiedad de "estar equivocado y ser vulnerable" y brindar una falsa sensación de seguridad. Y así, aliviar las necesidades de una auténtica autoestima.

En general, las personas con pseudo-autoestima se valoran a sí mismas, y a otras, por lo que logran, por los resultados y no por lo que son.

La autoestima real se basa en la realidad: en el desempeño real, en el éxito real y en las prácticas reales. Y sí, probablemente lo viste venir, es el producto del esfuerzo y el trabajo duro.

# 23 - Aumenta el valor que te das a ti mismo

Mira a tu alrededor. ¿Que ves? Mira a tu entorno y las personas que te rodean. Piensa en tus condiciones de vida actuales: trabajo, salud, amigos y personas a tu alrededor. ¿Qué tal? ¿Estás contento con lo que ves? ¿Estás satisfecho con tu vida? Si no, puedes cambiarlo. Lamento tener que ser yo quien te lo diga, pero la mayoría de nosotros estamos donde debemos estar y no por casualidad.

Nuestro nivel de autoestima es en gran parte responsable de las relaciones que tenemos y las situaciones que enfrentamos. Esto sucede en su mayoría inconscientemente. Entonces, aunque conscientemente pensemos que merecemos algo mejor, es lo que inconscientemente creemos y esperamos que marca nuestra vida.

Esta es la razón número uno por la cual las personas con una autoestima saludable esperan y obtienen el respeto, la ayuda y la colaboración que merecen, mientras que las personas con baja autoestima están constantemente involucradas en situaciones incómodas y desagradables y su buena voluntad a veces incluso es acosada por otros.

Entonces, ¿qué puedes hacer si tienes baja autoestima? Trabaja en ella, trabaja en ella, trabaja en ella y trabaja en ella aún más. ¿Cómo? Realiza algunos de los ejercicios que encontrarás en este libro para aumentar tu autoestima.

Si lo haces, tu felicidad y tu autoestima aumentarán. Cuando estés totalmente convencido de que mereces más - subconsciente-mente y conscientemente - tu vida cambiará, porque actuarás de manera diferente y harás todo lo posible para reclamar lo que mereces.

Lo he visto docenas de veces con mis clientes de coaching. A medida que aumenta su autoestima, aumenta su confianza y aumentan sus salarios. Sus relaciones mejoran, su salud mejora. ¡Es asombroso! Te mereces lo mejor que la vida tiene para ofrecerte. ¡Trabaja en tu creencia, créelo y ve a conseguirlo!

# 24 - Nadie es mejor que tú…

…y tú tampoco eres mejor que los demás. Eres diferente. Eres genial, pero eso no significa que seas mejor que los demás. No significa que otros no puedan ser geniales, también, en su propia manera única. Tu grandeza no quita la grandeza de otras personas. De hecho, incluso podría agregar grandeza a las personas que te rodean.

Nos criaron con la mentalidad de que otros que tienen un título, una cierta posición social o más dinero son superiores a nosotros y tenemos que admirarlos.

Tengo buenas noticias para ti: los tiempos han cambiado. Todo va muy rápido hoy en día. Los títulos y el estatus ya no significan tanto. Por ejemplo, hay muchas personas con título universitario o incluso de doctorado que no tienen trabajo; por otro lado, algunas de las mejores compañías del mundo han sido creadas por personas que no terminaron la universidad o incluso la escuela secundaria. Por un lado, unas personas pierden posiciones sociales mientras que otras ascienden rangos. Algunas de las personas más ricas del mundo hoy en día, como Jeff Bezos o Mark Zuckerberg, ni siquiera estaban en el negocio hace 20 años. Son diferentes, pero eso no significa que sean mejores que tú. Recuérdalo.

La verdadera autoestima es saber que eres genial y único y aceptar a todos los demás por su grandeza y singularidad. No eres mejor que ellos, pero nadie es mejor que tú tampoco.

# 25 - Tú eres suficiente

Muchos de los problemas de la autoestima giran en torno a una cosa. No nos sentimos dignos. No nos sentimos dignos como seres humanos. No nos sentimos dignos de nuestras bendiciones; Sentimos que no nos merecemos lo bueno que nos sucede. Y si realmente lo sentimos, se convierte en una profecía que se autocumple, y las cosas buenas dejan de sucedernos.

Por una vez y para siempre: ERES SUFICIENTE. Punto. No caigas en la trampa. No necesitas habilidades especiales, y no necesitas ser más inteligente o más rico para ser digno. Ya lo eres. Todo lo que tienes en tu vida, tu trabajo, tus pertenencias y tu casa es agradable e influye en tu estilo de vida, PERO no tiene nada que ver con tu valor intrínseco o tu importancia como persona.

No necesitas hacer nada especial para alcanzar un valor más alto como ser humano. Tú ya lo tienes. Es tu derecho de nacimiento. Nada de lo que hagas agrega o elimina incluso la partícula más pequeña de tu valor, y nadie puede quitártela ... excepto TÚ... mediante el comportamiento de auto-destrucción y auto-sabotaje.

Si alguna vez dudas de tu valor y valor como persona, vuelve aquí y lee esto:

TÚ ERES SUFICIENTE.
TÚ ERES SUFICIENTE.
TÚ ERES SUFICIENTE.

# 26 - No tomes las críticas personalmente

Sólo hay una forma segura de evitar las críticas: no hacer nada, no decir nada, no aspirar a nada, no ser nada.

No importa lo bueno que seas en tu línea de trabajo, haciendo lo que haces. Siempre habrá alguien que te critique. Cuanto antes lo aceptes, mejor. Y cuanto antes aprendas a lidiar con ello, más sano será. Algunas personas simplemente se alimentan haciendo que otras personas se sientan mal o atacando sus trabajos - o incluso peor - su personalidad. Y muchas veces verás que son personas que nunca han hecho ni creado nada. No estoy diciendo que no debas escuchar los comentarios de otras personas, sino aprender a distinguir entre la crítica constructiva y la destructiva.

Cuanto más discutas contra esas pobres almas, más duramente te criticarán. No puedes razonar con ellas. Para ellas, es un juego. Ellas están en eso para lastimarte. La mayoría de las veces, son personas que no han creado nada, debido a la falta de autoestima o la falta de confianza en sí mismas. Así, eligieron el camino fácil. Criticar a los demás.

Si les respondes o te ofendes por sus críticas, han tenido éxito. Estás tomando en serio su opinión.

Para mí, estas son personas tóxicas y no las quiero en mi vida. *Feedback*, sí. Crítica destructiva, no, gracias y hasta luego. Se puede tratar con ellas de diferentes maneras.

Uno: simplemente ignóralos y no respondas a sus provocaciones.

Dos: Comenta "gracias, si, si, lo que sea."

Tres: y ésta es probablemente la mejor manera callarlas, dales la razón. Di "tienes razón, gracias". Esta es la mejor manera de silenciar a tus críticos. ¡No se lo están esperando! Están esperando que los contradigas, que te sientas mal, que te ofendas. Cuando estés de acuerdo con ellos, no sabrán cómo responder.

# 27 - No seas demasiado duro contigo mismo

¿En qué áreas de tu vida eres demasiado dur@ contigo mism@? Es fácil caer en el hábito de la autocrítica debido a errores pasados o porque las cosas no funcionaron como querías. ¿Pero te sirve? Pues no, NADA, cero patatero!

Es hora de que aceptes algo aquí: ¡No eres perfecto! Nunca lo serás, y - lo mejor es que - ¡NO TIENES QUE SERLO! Así que, de una vez por todas, ¡deja de ser tan duro o dura contigo mismo! Esta es una de las principales razones que impiden que las personas vivan una vida feliz y plena.

Deja atrás el hábito de la exagerada autocrítica, especialmente en tiempos en que ya hay más que suficientes voluntarios que te criticarán con o sin razón.

Sé consciente de que lo estás haciendo lo mejor que puedes. Mantén la conversación contigo mismo positiva y borra frases como "Soy un estúpido", "Soy idiota" o "Dios, que tonto soy" de tu lenguaje y de tus pensamientos y mientras estés en ello, deshazte de otros apodos que tienes para ti mismo como estúpido, gordo o feo.

Con un diálogo interno como este, lo único que lograrás es enfocarte en tus debilidades, y ya sabes lo qué hace el enfoque… verás más de ello.

Eso no significa que no debas analizar los errores que cometes. Solo deja el auto-castigo y la auto-tortura de lado. ¿Sabes que gran parte de la miseria que tenemos en nuestra vida es porque inconscientemente pensamos que tenemos que castigarnos por algo?

Entonces, de una vez por todas, en lugar de machacarte a ti mismo, haz lo siguiente:

1) Acéptate como eres.
2) Perdónate y ámate a ti mismo
3) Cuídate mucho.

# 28 - Acepta con agrado los elogios

¿Te resulta difícil aceptar elogios o piropos? Cuidado. La mayoría de las veces, no es la modestia lo que nos hace sentir incómodos cuando alguien dice algo bueno, sino nuestra falta de seguridad y autoestima. Si tienes dificultades para aceptar cumplidos, podría ser que en el fondo no sientas que te lo mereces.

Cuando éramos niños, a la mayoría de nosotros nos enseñaron que es malo elogiarse a uno mismo. Es malo decir "Dios, que bueno soy", incluso cuando has hecho algo fantástico. Era considerado como un rasgo del engreído y arrogancia. Como resultado de ésto, tendemos a menospreciarnos cuando alguien nos da un cumplido o nos elogia.

Seriamente. En esta etapa de nuestra vida, deberíamos haber dejado atrás la educación   (o mejor dicho adoctrinamiento) de la niñez. Está bien aceptar un cumplido por un trabajo bien hecho. Acéptalo con gracia y cuando sientas la tentación de decir "Oh, no es para tanto", di "Gracias. Estoy feliz de que sientas eso."

Nunca estés en desacuerdo con alguien que te haga un cumplido o te elogie. En primer lugar, estás disminuyendo el placer de ellos de alabarte y, en segundo lugar, prácticamente les estás diciendo que tienen mal juicio y que sus cumplidos son inútiles y eso puede tomarse como una ofensa. Recuerda, no hay nada malo en admitir que has hecho un gran trabajo.

# 29 - Observa tu diálogo interior

No subestimes el poder de tus palabras. Observa tu diálogo interior muy de cerca. Las palabras que utilices para describir tus experiencias se convertirán en tus experiencias. Estoy seguro de que ya has experimentado situaciones en las que las palabras habladas han hecho mucho daño a los demás. Pero eso no es todo. Las palabras dichas y no dichas también pueden hacer mucho daño a ti y a tu autoestima. Observa muy de cerca cómo te hablas a ti mismo, independientemente de lo que pienses de ti mismo. Si hay mucha comparación, juicio, quejas, autocrítica, entonces hay mucho espacio para mejorar. Si siempre te estás machacando, tu autoestima se verá afectada de manera muy negativa.

La mayoría de las veces, es posible que no seas consciente del diálogo interno que siempre está - sin que te des cuenta - automáticamente, juzgando y evaluando todo lo que sucede a tu alrededor. Si prestas atención y te esfuerzas por observarlo, verás cómo se manifiesta en todo lo que te sucede.

Sí, esta pequeña voz en tu cabeza - la que acaba de preguntar: "¿voz, qué voz?" - comenta sobre todo lo que está sucediendo a tu alrededor. ¿Qué historia te estás contando? Si constantemente te dices a ti mismo que eres malo, que no eres lo suficientemente atractivo, débil, que no eres lo suficientemente inteligente, perezoso e impotente, así es como se verá tu mundo, porque tu dialogo interno se convierte en una profecía que se autocumple.

Tu diálogo interno tiene un gran impacto en tu autoestima. Ten cuidado con cómo te describes a ti mismo. Eres lo que te cuentas todo el día. Tu diálogo interno es como la sugerencia repetida de un hipnotizador. Por otro lado, si dices que estás sano, que te sientes bien e imparable, también lo reflejarás.

La forma en que te comunicas contigo mismo cambia la forma en que piensas sobre ti mismo, lo que cambia la forma en que te sientes sobre ti mismo, lo que a su vez cambia la forma en que actúas y ésto, en última instancia, influye en tus resultados y en la percepción que los demás tienen de ti.

Por ejemplo, sales, y llueve. Si te dices a ti mismo "Oh vaya, está lloviendo. Qué día más horrible" este pensamiento te llevará a la frustración y la ira. Si por otro lado, piensas "Bueno, está lloviendo. ¿Qué vamos a hacer al respecto? Al menos no habrá escasez de agua." Este pensamiento te llevará a la aceptación y la tranquilidad.

Mantén la conversación contigo mismo positiva, como "Quiero lograr el éxito", "Quiero ser delgado", "Dios, que bueno soy", porque tu mente subconsciente no entiende la pequeña palabra "NO". Ve tus palabras como IMAGENES. ¡No pienses en un elefante rosa! Mira, apuesto a que acabas de imaginarte un elefante rosa.

Y, me repetiré, por favor, concéntrate en lo que quieres. Ten en cuenta que tus palabras, y especialmente las preguntas que te haces, tienen una gran influencia en tu realidad. En lugar de decirte a ti mismo que algo es imposible, pregúntate "¿Cómo se puede hacer?" Si te preguntas a ti mismo "cómo", tu cerebro buscará una respuesta y la encontrará. Realmente puedes cambiar tu vida cambiando tu lenguaje, hablando contigo mismo de manera positiva y haciéndote preguntas diferentes.

# 30 - El autoconcepto es el destino

El autoconcepto es el destino. Tiene un gran impacto en nuestra realidad. Puede influirnos positivamente, pero también puede hacernos daño. Por eso es tan importante tener un autoconcepto positivo y un diálogo interno positivo. Todos los días, tienes la opción entre decirte a ti mismo "Soy inteligente", "Soy una buena persona" y "No valgo nada", "No merezco esto", "Soy tan estúpido".

Tu autoconcepto a menudo proviene de lo que te dijo tu entorno cuando eras niño, pero eso no significa que tengas que darlo por sentado y que no puedas cambiarlo. Tiene un gran impacto en todo lo que haces, cómo lo haces y cómo experimentas la vida en general. Entonces, si no te gusta lo que estás viendo, empieza a cambiarlo introduciendo nuevos mensajes en tu vida. Estos nuevos mensajes beneficiosos reemplazarán a los antiguos con el tiempo.

Utiliza afirmaciones positivas o mensajes subliminales y síguelas con el comportamiento, por ejemplo, sonriendo frente a un espejo durante 30 segundos todos los días, o comportándote como una persona con una autopercepción saludable.

Derivas conclusiones sobre ti mismo de la misma manera que derivas conclusiones sobre otros: observando el comportamiento.

Así que, si te comportas como una persona con autoestima, tu autoestima aumenta. Empiezas a pensar de ti mismo "Estoy haciendo frente a las cosas.

Debo ser una persona segura de sí misma" y luego ésto se convierte en una profecía que se autocumple, y te vuelves más seguro de ti mismo.

Una vez que te das cuenta de que eres capaz de muchas cosas, comienzas a decirte a ti mismo "Puedo lidiar con esto. Puedo gestionarlo. En realidad, soy más resistente de lo que creía que era." Tu autoestima aumenta, tu felicidad aumenta y, finalmente, llega el éxito. No hay otra manera de tener éxito.

# Parte III
# Se autentico

## 31 - Acéptate como eres. Basta.

Si, si, si. Si hiciera esto o aquello, sería una mejor persona. Si no hiciera eso, sería más amado. Si pudiera hacer esto, estaría mejor.

Para ya. Todos esos "si" simplemente evitan que te sientas bien contigo mismo aquí y ahora y pospongan tu aceptación aquí y ahora indefinidamente. Peor aún ... te hacen sentir como si fueras un ser humano inútil e imperfecto.

Qué desperdicio de energía y tiempo. Ya eres la mejor persona que puedes ser. No tienes que cambiar nada para sentirte bien contigo mismo. Puedes hacerlo aquí mismo, ahora mismo. Simplemente hazlo.

Eso no significa que no puedas mejorar las cosas pequeñas en tu vida. Los objetivos deben ser la mejora continua y la búsqueda de la excelencia, pero ya eres una persona perfectamente digna.

Acéptate como eres y continúa evolucionando, siempre dando lo mejor que puedas en cada momento. No más y tampoco menos, sin exigencias desmesuradas. A medida que evoluciones, lo harás cada vez mejor.

## 32 - Admite tus errores

Para muchos de nosotros, es difícil admitir nuestros errores. En cambio, desperdiciamos mucha energía inventando excusas y justificaciones para demostrar que tenemos razón. Esto podría estar enraizado en la profunda creencia de que somos inadecuados y si logramos convencernos a nosotros mismos y a los demás de que nunca cometemos errores, quizás este sentimiento desaparezca. Al menos durante un rato.

De todos modos, ya has aprendido que no hay nada malo en cometer errores. Todos hacen uno, de vez en cuando. Aunque al principio puede parecer extraño e incómodo, convierte admitir tus errores en un hábito. Como no es un rasgo tan común, sorprenderás a la gente, e incluso podrían admirarte por eso. Admitir un error y asumir las consecuencias requiere mucha más fuerza que negarlo. Y es mucho más saludable. En lugar de perder energía negándolo, te liberarás.

Lo vuelvo a repetir. Está bien cometer un error de vez en cuando. Todo el mundo lo hace. No te hace una mala persona. Cometer errores no te hace inútil; simplemente muestra que eres humano. Reconocer tus errores es un signo de fortaleza, madurez y una sana autoestima.

Sólo tienes un problema si cometes el mismo error una y otra vez. Si esto sucede, debes observar si hay un patrón y buscar la lección y la experiencia de aprendizaje. Eso es. Nada más.

# 33 - Se Auténtico. ¡Se tú!

"Ser tú mismo en un mundo que está constantemente intentando a convertirte en otra cosa es el mayor logro", dice Ralph Waldo Emerson.

¿Alguna vez has notado que las personas más exitosas son las que son auténticas? No están jugando ningún papel. Ellos son quienes son. Lo que ves, es lo que tienes. Conocen sus fortalezas y sus debilidades y no tienen ningún problema en ser vulnerables y responsabilizarse de sus errores. Tampoco les importa ni temen el juicio de los demás.

Por ejemplo: Decir cosas o estar de acuerdo con otras personas para complacerlas, podría ser una señal de baja autoestima. Se tú mismo. Di lo que realmente piensas, no lo que crees que otros quieren escuchar de ti (excepto si estás en peligro). Eso no significa que debas decir cosas hirientes o groseras. Evita éstas si puedes. Pero ten en cuenta que tu opinión es tan importante como la de cualquier otra persona. Incluso si tus ideas son diferentes a las de la mayoría, eso no las hace menos válidas o menos importantes y aun así puedes defenderlas.

La próxima vez que sientas la tentación de estar de acuerdo con alguien sólo para complacerlo, no lo hagas. Nada bueno viene de ser deshonesto contigo mismo y de traicionar tus valores e ideas. Si no estás de acuerdo con alguien, dilo. Si son tus amigos, podrán lidiar con ello.

Si no pueden con ello, probablemente no habrías llegado muy lejos con ellos de todos modos. No tengas miedo de decir tu verdad.

No dejes que el mundo te diga quién se supone que debes ser. No te pongas una máscara, queriendo complacer a todos los demás. No seas tan interesado en los comentarios de las personas que te rodean, como colegas, amigos, vecinos, etc. Deja de desempeñar roles y de pensar en lo que los demás quieren de ti, o podrían pensar de ti.

Deja de fingir y permítete ser tu yo auténtico. Las recompensas son impresionantes. Curiosamente, te darás cuenta de que cuanto más eres tú mismo; ¡Más personas se sentirán atraídas hacia ti! ¡Inténtalo!

# 34 - No seas perfeccionista

Si eres del tipo de personas que necesita que todo sea perfecto, estás condenado a encontrar la infelicidad. Los perfeccionistas a menudo hacen mucho trabajo adicional porque piensan que otros no pueden hacer las tareas tan bien como ellos, por lo que no delegan. Experimentan mucha ansiedad y estrés porque siempre hay un miedo al fracaso.

El perfeccionismo es el enemigo de la creatividad y, a menudo, nos impide actuar, lo que la convierte en una de las causas principales de la procrastinación. Los perfeccionistas tienen hasta más miedo al fracaso que el resto de nosotros. Si no actúan, si no toman decisiones, no fallan. Entonces, al final, no actúan y no toman decisiones. O nunca dejan de actuar, para volver a escribir el libro o el trabajo, porque todavía no es perfecto. Y así pasa el tiempo, y no dan ningún resultado.

El perfeccionismo daña nuestra autoestima, debido a este sentimiento constante de fracaso y falta de auto-aceptación que experimentas. Si constantemente te percibes como un fracaso, es casi imposible desarrollar una autoestima saludable. Los perfeccionistas también intentan menos y toman menos riesgos, que son dos de los ingredientes principales para el éxito y la felicidad de cada persona.

No me malinterpretes Hay lugares y profesiones en las que es necesario el perfeccionismo, por ejemplo, en emergencias o cuándo hacen cirugía, pero en muchas otras áreas no es necesario.

En lugar de ser un perfeccionista, conviértete en una persona comprometida con la excelencia. Una persona que siempre da lo mejor de sí, pero sabe que la perfección no existe y, por lo tanto, experimenta mucha menos ansiedad y frustración. Mientras que el perfeccionista sólo experimenta, en el mejor de los casos, un alivio temporal, una persona comprometida con la excelencia disfruta el viaje de su vida y experimenta niveles mucho más altos de felicidad. Para ellos, no se trata sólo de alivio temporal, sino de satisfacción duradera.

## 35 -¡No cambies sólo para complacer a los demás!

No intentes complacer a todo el mundo. Simplemente no es posible. De vez en cuando, te encontrarás con personas que simplemente no te querrán por ninguna razón aparente. Sucede. No es tu culpa y no estás haciendo nada malo. Simplemente es así como va el mundo. No trates de cambiarte para complacer a estas personas. Es una misión imposible y al intentarlo perderías autenticidad y autoestima.

Un truco que solía utilizar para por fin dejar de intentar de complacer a todo el mundo era pensar que, en el mejor de los casos, el 50% de las personas que conozco en mi vida me querrán tal como soy y a la otra mitad no le gustaré nunca, sin importar el esfuerzo que haga para complacerlos.

Entonces, cuando conocía a alguien a quien simplemente no le gustaba en lugar de tratar de hacer todo lo posible para complacerlos, simplemente pensaba:

"Bueno, él o ella debe ser del otro 50%" y no perdía mucho tiempo ni energía intentando convencerlos para agradarles. Mi vida mejoró mucho.

No cambies tu forma de ser para gustar a los demás. Simplemente entiende que no es posible ni necesario. Quédate con la gente que te quiere por lo que eres. Deséales una vida hermosa a los que no.

# 36 - Ignora la opinión de los demás sobre ti

Buenoooo. Estoy de acuerdo en que el titular suena un poco duro y seguramente de vez en cuando, un poco de *feedback* desde el exterior ayuda Debes tener 2 o 3 personas de confianza a tu alrededor, que te dicen la verdad fea y sin rodeos cuando sea necesario.

Estoy hablando de otras personas en tu vida. Aquellos que siempre son rápidos en brindarte un análisis completo de tu carácter, de tu personalidad y de la vida basado en una base creíble muy pero muy pequeña. Estas son las opiniones que debes ignorar porque muchas veces le damos mucha más importancia a las opiniones de precisamente estas personas sobre nosotros y si nos critican nos duele. A veces, incluso parece que sus juicios de nuestra personalidad, nuestras acciones y nuestro carácter son correctos y más importantes que los nuestros. ¡Gran error! ¿Cómo diablos van a saber ellos como estamos?

En primer lugar, nos juzgan según su sistema de valores, que probablemente sea muy diferente al nuestro; En segundo lugar, ¿cómo pueden saberlo? ¿Cómo pueden algunas personas sacar descripciones de nuestro carácter y personalidad tan rápido, sabiendo tan poco de nosotros, nuestra educación y nuestras experiencias? ¿Cómo pueden entender por qué somos quienes somos y cómo actuamos basándose en tan poco conocimiento de nosotros?

¡Venga! Incluso nosotros no sabemos por completo quiénes somos ... y sin embargo, pasamos las 24 horas del día con nosotros mismos.

Créeme: en la mayoría de los casos, las ideas que estas personas tienen acerca de ti son erróneas e incompletas. A menos que estén realmente y profundamente preocupados por tu bienestar o tu vida, no les prestes demasiada atención. Te sentirás mucho mejor contigo mismo si no te preocupas tanto por las opiniones de otras personas.

# 37 - Deja de preocuparte por las opiniones de otras personas sobre ti

Seguro que conoces el dicho: "Lo que Pedro dice sobre Juan, dice más de Pedro que de Juan". Podríamos transformarlo en "Lo que Pedro piensa de Juan, dice más de Pedro que de Juan." Lo que quiero mostrarte es que las opiniones de otras personas sobre ti son *su* problema, no el tuyo. Sip. Es así de fácil. No puedes complacer a todos, así que puedes dejar de intentarlo ahora mismo. Cuanto antes lo aceptes, mejor.

Como dije antes: Conviértete en más auténtico, conviértete más en TÚ y por muy irónico que parezca, atraerás a mejores personas y lo mejor es que sabrás que te quieren por quien realmente eres. Esas son las personas que son importantes para tu desarrollo. Deja ir a los que continuamente te juzgan y critican.

Cuando estés preocupado por lo que otras personas puedan pensar acerca de ti, recuerda siempre: probablemente estén igualmente preocupados por lo que TÚ piensas de ellos al mismo tiempo - o hasta más.

Lo divertido es que cuanto más relajado y menos preocupado estés por la impresión que causas en los demás. probablemente mejor será. Relájate y tú mismo. Es divertido. Verás.

Los beneficios de no dar una %&$@ sobre la opinión de otras personas es que sueltas un montón de estrés mental y emocional, sentirás mucha más libertad porque no tienes que andar de puntillas alrededor de todos y ellos no podrán controlarte - o mejor dicho manipularte.

Así que deja de preocuparte por la opinión de otras personas sobre ti y concéntrate en lo más importante: conviértete en la mejor versión de ti y deja que otros hagan lo suyo.

# 38 - Deja de compararte con otros

Para empezar, ni siquiera caigas en este hábito inútil. Puedes dejar de compararte con los demás ahora mismo. Es la vía rápida a la infelicidad. Tienes que tener una cosa realmente clara: siempre habrá alguien que sea mejor que tú en algo, alguien que tenga más dinero, un coche más bonito, una oficina más grande, un libro que venda más, etc. Acéptalo y sigue tu camino.

La única persona con la que debes competir es la persona que fuiste ayer. Enfócate en tus fortalezas y mejóralas. No envidies a las personas exitosas, en lugar de eso aprende de ellas y concéntrate en tu camino hacia el éxito.

Utiliza a personas que tengan lo que tú no tienes como fuente de inspiración en lugar de envidiarlas.

La comparación no tiene sentido. Te sentirás superior o inferior, y no eres ninguno de las dos cosas. Eres único con tus fortalezas y debilidades intrínsecas como cualquier otro ser humano en este planeta. Esto no es ni bueno ni malo. Simplemente es.

Si realmente tienes dificultades para trabajar en esto, tal vez deberías dejar las redes sociales por un tiempo. Los estudios sugieren que las redes sociales desempeñan un papel importante en la creación de celos y envidia porque vemos los momentos más destacados de otras personas y los comparamos con nuestra película "detrás de las escenas". Eso simplemente no puede funcionar.

Si vas a mi página de Facebook, verás fotos mías trabajando en la playa, tomando un café en la playa, viajando a lugares agradables. Pero no te dejes engañar. Eso es sólo una instantánea de media hora o una hora de mi día. Las otras diez horas estoy encerrado en casa trabajando.

Además, la mayoría de mis seguidores de Facebook seguramente no saben que mi matrimonio fracasó en el camino hacia el éxito. Sabes lo que quiero decir, ¿verdad?

# 39 - Vive tu propia vida

"Tu tiempo es limitado, así que no lo desperdicies viviendo la vida de otra persona. No te dejes atrapar por el dogma, que significa viviendo con los resultados del pensamiento de otras personas. No permitas que el ruido de las opiniones de otros ahogue tu propia voz interior. Y lo más importante, ten el coraje de seguir tu corazón y tu intuición. De alguna manera ellos ya saben en lo que realmente quieres convertirte. Todo lo demás es secundario."

¡La cita de Steve Jobs que acabas de leer ya lo dice todo! Es difícil añadir algo a sus sabias palabras. Vive la vida que deseas y no la vida que otras personas esperan de ti. No te preocupes por lo que tus vecinos u otras personas piensen de ti, porque si te preocupas demasiado por lo que dicen, habrá un momento en el que ya no vivirás tu propia vida, sino la vida de otras personas.

Escucha a tu corazón. Haz las cosas que quieres hacer, y no necesariamente las cosas que todos los demás hacen. ¡Ten el coraje de ser diferente! Paulo Coelho nos recuerda: "Si alguien no es lo que otros quieren que sea, los otros se enojan. Todo el mundo parece tener una idea clara de cómo otras personas deberían llevar sus vidas, pero ninguna sobre la suya."

# 40 - Deja de huir de tus problemas

Henry Ford descubrió hace muchos años que "la mayoría de las personas dedican más tiempo y energía en bailar alrededor de las problemas que en intentar de resolverlos". Deja de huir de tus problemas, porque te seguirán a dónde quiera que vayas, ¿verdad?

¿Algún ejemplo necesario? Veamos: si cambias de trabajo debido a problemas con un compañero al que no te enfrentaste, en otro trabajo puedes encontrarte el mismo problema con otra persona, ¿verdad? Busquemos otros patrones. Puedes continuar encontrando el mismo conjunto de problemas en varias relaciones románticas hasta que te detengas y resuelvas los problemas recurrentes. Esto continuará hasta que aprendas algo de la situación y abordes el problema de una vez por todas.

La mejor manera de lidiar con un problema es tomar responsabilidad en lugar de bailar alrededor de él y determinar a quién culpar, enfrentar el problema y luego lidiar con ello. Es difícil, lo sé, pero una vez que lo resuelvas, podrás olvidarlo. Es muy útil ver los problemas como desafíos, como oportunidades para aprender y crecer. Algunas personas incluso consideran los problemas como nuestros amigos y como bendiciones. ¿No es que la vida se trata de enfrentar un problema tras otro? La gran diferencia es cómo te enfrentas a tus problemas y si aprendes de ellos. Una vez que comienzas a resolver problemas y aprendes de ellos, la vida se vuelve mucho más fácil.

La mayoría de las veces, es mucho menos doloroso enfrentar el problema y resolverlo, que todo el proceso de bailar alrededor de él y evitarlo. La solución a tus problemas no está "ahí afuera", sino dentro de ti.

Y para cerrar este capítulo "problemático" con una nota positiva, repasemos los problemas que tuviste en tu vida. ¿No tenían cada uno de ellos algo positivo? Tal vez una pérdida en el negocio te salvó de una pérdida aún mayor porque aprendiste de ella. Tal vez te dejó tu pareja, pero entonces conociste a alguien aún mejor para ti.

En tiempos difíciles, puede ser muy beneficioso para ti adoptar la creencia de que la vida / Dios / el universo sólo pone un problema en tu camino si puedes resolverlo.

# 41 - No dependas de la aprobación de otros

Si la aprobación de otras personas es muy importante para ti, les estás otorgando un enorme poder sobre tu vida y tu bienestar. Si dependes excesivamente de sus opiniones, les estás dando la oportunidad de influir mucho en ti y en tus emociones. También pierdes libertad. Si su aprobación te hace sentir bien y feliz, ¿qué sucede si te desaprueban o te critican? Lo peor es que si quieres complacer a todos al final, no complacerás a nadie. ¿Te suena?

Si necesitas la aprobación de otras personas para sentirte bien y completo, entonces mi amigo realmente tienes un problema. Porque cada vez que no la tengas, te sentirás muy mal. La mayoría de las veces, la necesidad de aprobación conduce a la ansiedad, la frustración y la infelicidad y, lo que es peor, te hace más vulnerable a sus críticas.

La solución: trabaja en tu autoestima y aprende que la única aprobación que necesitas es la tuya propia. La única persona con la que te necesitas comparar es con la persona que fuiste ayer y simplemente siempre esforzarte por mejorar.

Busca la aprobación dentro de ti y no en otras personas. Esto te evitará muchos problemas emocionales, frustración y enojo. Da a la opinión de otras personas la importancia que merece. No más. No menos. Pero no permitas que interfiera con tu estado de ánimo y bienestar emocional.

La búsqueda de la aprobación de otras personas es una enorme pérdida de tiempo. Si te preocupas demasiado por lo que otras personas puedan pensar de ti, te perderás en el camino.

Recuerda: tú estás en control. Sólo tienes que responderte a ti mismo. Eres lo suficientemente bueno. Acéptate por ser quién eres. A mayor aceptación, menor necesidad de aprobación de otras personas.

Lo más divertido es que cuanta menos aprobación necesites, más la obtendrás. Va. Inténtalo.

# 42 - Primero satisface tus necesidades

Uno de los requisitos principales para una autoestima saludable es satisfacer primero tus propias necesidades. Esto puede parecer egoísta, pero no olvidemos que sólo cuando estamos en nuestro mejor momento podemos ser de gran ayuda para los demás, incluidos nuestros amigos, familiares, compañeros de trabajo, etc.

No seas un mártir. Muchas personas quieren convencernos de que hagamos todo lo posible para satisfacer las necesidades de otras personas, incluso si el costo es que no nos den nada o incluso perdamos lo que ya tenemos. Muchas personas usan la excusa de prestar servicio a los demás para que puedan evadir la responsabilidad de cambiar sus propias vidas. Dicen que los demás deben ser primeros, lo cual es una señal clara de autoengaño. Lo que podría parecer noble a primera vista podría convertirse en cobardía si lo examinamos más de cerca. Elegir el auto-sacrificio significa que pensamos que otras personas y sus necesidades son más importantes que las nuestras. También es una buena excusa para no vivir nuestras propias vidas porque nos falta el coraje para hacerlo. Ésta es una señal de baja autoestima. Observa atentamente cada vez que tengas la sensación de que los demás merecen más que tú.

Un ejemplo sería alguien que elige sacrificarse y enterrarse en un proyecto misionero para escapar de sus propios problemas porque no es capaz de enfrentarlos y eliminarlos.

Nadie es más importante que tú. Tampoco menos importante que tú. La verdadera autoestima es aceptar la importancia de todos los demás y luego satisfacer tus necesidades primero. Tus necesidades son las más importantes para ti, al igual que las necesidades de cualquier otra persona son las más importantes para ellos.

Si quieres cambiar el mundo, cambia tú mismo primero. Toma control de tu vida. Pon tus necesidades en primer lugar y para todo lo demás. Una vez que se satisfagan tus necesidades, ve y enséñale a otras personas cómo satisfacer las suyas.

# 43 - Deja de pasar tu tiempo con las personas equivocadas

Si deseas mejorar tu autoestima, no hay otra forma que observar muy de cerca con quién pasas el tiempo. Debes mantenerte alejado de la negatividad de las personas tóxicas y traer a tu vida la positividad de las personas. que te apoyan. Asóciate con personas que te ayuden con sus fortalezas, mantente alejado de las personas que menosprecian tus logros y suelta las relaciones que constantemente te hacen daño.

Las personas que te rodean pueden ser el trampolín para motivarte, ganar coraje y ayudarte a tomar las acciones correctas, pero, por otro lado, también pueden arrastrarte hacia abajo, agotar tu energía y actuar como frenos en el logro de los objetivos de tu vida. Si estás cerca de personas negativas todo el tiempo, puedes convertirte en una persona negativa y cínica con el tiempo.

Realmente hay algo en el dicho de que eres el promedio de las cinco personas con las que pasas más tiempo. Tómalo en serio. La ciencia ha demostrado una y otra vez que las actitudes y las emociones son contagiosas. Pasa tu tiempo con personas que te motivan, creen en ti y sacan lo mejor de ti. Rodéate de personas que te empoderen.

Es posible que algunas personas quieran convencerte para quedarte estancado porque no les gusta correr riesgos y tienen miedo a la incertidumbre.

Por lo tanto, mantente alejado de los que siempre dicen no a todo, los que culpan a los demás de todos sus males, y los que siempre se quejan de todo. Las personas que siempre están juzgando o chismorreando y hablando mal de todo. No escuches sus opiniones y confía en tu propia voz interior. Será difícil para ti obtener una autoestima saludable y tener éxito si las personas que te rodean quieren convencerte de lo contrario.

Desafortunadamente, a menudo serán personas de tu círculo más íntimo. Familiares y amigos. Es complicado, pero podrías considerar seriamente soltar a las personas que te desaniman y dañan tu confianza en ti mismo y tu autoestima. Incluso pasar menos tiempo con ellos o tomar un "descanso temporal" de ellos puede mejorar mucho tu autoestima, gracias a tener menos *input* negativo.

Mientras estás trabajando para convertirte en una mejor persona, mientras creces y evolucionas, las personas negativas podrían alejarse de ti, porque ya no cumples sus propósitos. Necesitan a alguien que comparta su negatividad, y si tú ya no haces eso, buscarán a alguien más.

Probablemente te dirán que has cambiado, que ya no eres como antes, y alguna vez incluso podrían decirte que te has vuelto completamente loco. Esto podría ser una buena señal. Los empresarios más exitosos tienen esto en común.

Si pasar menos tiempo con ellos o tomar un descanso temporal no funciona, debes preguntarte seriamente si quizás debes dejar de verlos por completo. Pero esa es una decisión muy privada que solo tú puedes tomar.

La vida es demasiada corta para pasar tiempo con personas que no te tratan con amor y respeto. Déjalos ir y haz nuevos amigos.

# 44 - Elige tus relaciones sabiamente

Elige tus relaciones sabiamente. Especialmente las sentimentales. Gran parte de tu éxito futuro dependerá de ello. Recuerda: Dicen que eres el promedio de las cinco personas con las que pasas más tiempo. Pues probablemente eres un promedio aún mayor de la UNA persona que te rodea la mayoría del tiempo.

Las relaciones son el predictor # 1 de la felicidad a largo plazo. Lo único que todas las personas extremadamente felices tienen en común son las buenas relaciones interpersonales. Pero también funciona al revés. Estar cerca de personas negativas puede dañar seriamente tu autoestima y tu autoconfianza.

Sal de las relaciones que ya no te nutren. Aléjate de las personas que no te valoran. Aléjate de las personas negativas. La vida es demasiada corta para pasarla en malas relaciones con personas que te quitan la felicidad. Sí. A menudo, se necesita más valor para irse que para permanecer en una mala relación, pero puedes hacerlo.

A veces, es mejor estar solo que estar en mala compañía. No dejes que la soledad te lleve a una relación porque no hay nada peor que estar solo en una relación. Existe una alta probabilidad de que tu mejor relación llegue cuando estés bien contigo mismo. Es algo gracioso. Será cuando ya no necesites una relación para ser feliz, entones es cuando encontrarás una gran relación.

Hasta entonces, trabaja en las relaciones contigo mismo, sé un gran amigo. Pasa tiempo con las personas que te apoyan y te valoran. Menos muchas veces es más.

Elige calidad sobre cantidad en el apartado de relaciones y amistades. Ten algunas relaciones de alta calidad en lugar de muchas superficiales.

Cuando se trata de esta UNA relación, Neil Pasricha, autor de "La Ecuación de la Felicidad" hace un punto muy importante en su libro. Nos muestra lo importante que es elegir un compañero feliz porque la persona con la que te juntas afecta a tu felicidad enormemente.

Nos invita a examinar nuestras relaciones románticas con nuestra pareja o cónyuge y ver cuánto tiempo estamos felices juntos, con qué frecuencia estamos infelices juntos, y con qué frecuencia uno de nosotros está feliz, mientras el otro no lo está. Éstas son preguntas muy importantes y debes ser completamente honesto contigo mismo.

Por ejemplo, si estás contento el 80% del tiempo y tu pareja está contenta el 80% del tiempo, ambos estaréis contentos el 64% del tiempo. El 64% de vuestro tiempo juntos, ambos estaréis sonriendo, amando y felices. Esos son los buenos días. La vida es divertida. La vida es buena. También significa que estáis de mal humor juntos el 4% de  vuestro su tiempo juntos (20% de 20% es 4%). Esos son los días malos, los días difíciles, las peleas, las luchas. Son parte de toda relación, son normales. Te ayudarán a crecer. También significa que en el 32% de vuestro tiempo juntos, uno de vosotros está contento y el otro no lo está. Eso es un tercio vuestro tiempo juntos. Un tercio de vuestro tiempo juntos, el estado de ánimo de una persona influye en la otra. La persona positiva tira de la persona negativa hacia arriba, o la persona negativa tira de la persona positiva hacia abajo. Uno de las dos.

Veamos otros números. Las personas que han vivido con una pareja no tan feliz les sonará. Si tú estás feliz el 80% del tiempo y tu pareja está feliz el 40% del tiempo, entonces estáis contentos juntos el 32% del tiempo, infeliz juntos el 12% del tiempo, pero de repente el 56% de vuestro tiempo está en juego. . Más de la mitad de las veces tú estarás levantando el ánimo de tu compañero o compañera o él o ella te están arrastrando hacia abajo. Y entraste en esto siendo feliz el 80% del tiempo!!! Qué desgaste  de energía. Es muy agotador animar a alguien todo el tiempo. Encontrar un compañero de tu nivel de felicidad o superior es imperativo.

¿Está tu pareja agregando a tu felicidad o  quitándola?

# Parte IV
# La Felicidad es una elección

## 45 - Conviértete en un buscador de beneficios

Según la ciencia de la felicidad, la psicología positiva, el 40% de nuestra felicidad se compone de actividades intencionales. Esto incluye nuestra mentalidad. No es lo que nos sucede lo que determina nuestra vida; Es lo que hacemos con lo que nos sucede. Es la actitud que tomamos hacia lo que nos sucede. Ya sabes que tenemos una opción. Las cosas malas pasan, pero depende de nosotros decidir cómo gestionamos la experiencia. Tenemos la opción de ser optimistas o pesimistas. Un buscador de beneficios o un buscador de fallos. La decisión depende de nosotros.

El "Buscador de beneficios" siempre se enfoca en lo que funciona, él o ella siempre ve el lado bueno de la vida, hacen limonada con limones; Ven milagros en todas partes, respetando la realidad.

El "Buscador de fallos", por otro lado, vive en una realidad terrible y básicamente se siente miserable la mayor parte del tiempo. Él o ella siempre se enfoca en lo que no funciona, en todas las cosas o (aún peor) en las pocas cosas que no van bien. Los buscadores de fallos viven su vida centrados en sus problemas, quejándose constantemente, encontrando fallos incluso en el paraíso. Es muy peligroso ser un buscador de fallos porque puede llevarte a la resignación. Los buscadores de fallos piensan que son víctimas de las circunstancias. No reconocen que su realidad es lo que ellos hacen de ella.

No importa qué trabajo encuentren, siempre tienen un jefe horrible o unos compañeros horribles. No importa qué socios tengan, siempre son horribles y desconsiderados. No importa a qué restaurante vayan, el servicio siempre es terrible. O cuando el servicio es excelente, la comida es horrible. Siempre hay algo mal o se han resignado a esa realidad, y su existencia se ha convertido en una profecía dolorosa que se autocumple.

Pero hay buenas noticias: podemos aprender a convertirnos en "buscadores de beneficios" entrenando a nuestros cerebros para que se centren en lo positivo, aprendiendo a interpretar las cosas de manera optimista, de manera positiva. Sí. Algunas personas aceptan la situación y luego son capaces de sacar lo mejor de ella. La mentalidad del buscador de beneficios es: "Esto también pasará", "Las cosas  volverán a estar", "Ya he pasado por algo parecido y he logrado recuperarme".

Un buscador de beneficios se permite cometer errores y fracasar y como resultado se siente mejor, es más feliz a largo plazo, experimenta estados de ánimo más positivos y es menos probable que se sienta ansioso.

Un ejercicio genial para entrenar tu cerebro para convertirte en un buscador de beneficios es adoptar una actitud de gratitud.

# 46 - Conviértete en receptor

¿Te resulta difícil aceptar un regalo? Bueno, para ésto AHORA MISMO. Conviértete en un receptor. Es muy importante aceptar regalos y cosas con alegría, y también es el secreto para obtener más de lo que deseas. Si recibes un regalo y dices "Oh, eso no es necesario", le estás quitando la alegría de hacer un regalo a la otra persona.¡Echa un vistazo más de cerca a este comportamiento! ¿Hay un sentimiento oculto de "No lo merezco" o "No valgo la pena" detrás de "No es necesario"? No hay necesidad de justificación. No le disminuyas el placer de dar a la otra persona. Sólo di "¡Gracias!"

Te animo a que practiques tus "habilidades de recibir". Si alguien te hace un cumplido, acéptalo con un "Gracias". No lo devuelvas. Puedes decir: "¡Gracias! Estoy feliz de que sientas de esa manera" y dejas que la otra persona disfrute la experiencia. Te ayudará mucho y llevará tu autoestima a un nivel completamente nuevo si logras erradicar los siguientes comportamientos que están ligados a la baja autoestima:

- Rechazar cumplidos.
- Empequeñecerte.
- Dar crédito de tus resultados a los demás aunque los hayas ganado tu. ("No ha sido para tanto."
- No comprar algo bueno porque piensas que no lo mereces.
- Buscar lo negativo cuando alguien hace algo bueno por ti ("seguro que lo dice a todos", "seguro que lo hace para todos".

# 47 - Disfruta de las pequeñas cosas de la vida

No te pierdas los pequeños placeres de la vida, mientras persigues los grandes. Disfruta de la belleza que te rodea. Disfruta de las pequeñas cosas. No pospongas la vida hasta que ganes la lotería o te retires. Haz las cosas divertidas ahora con lo que tienes. Vive cada día plenamente como si fuera el último.

Comienza por ser feliz ahora. Sonríe tanto como puedas, incluso si no estás de humor, porque al sonreír, estás enviando señales positivas a tu cerebro. La diversión y el humor son esenciales para una buena vida, la satisfacción en el trabajo, la realización personal, las relaciones personales y el equilibrio de la vida. Así que ríete mucho y diviértete mucho. Piensa en las razones que tienes AHORA MISMO para ser feliz.

¿Tienes un fantástico trabajo? Amas lo que haces? ¿Tienes hijos geniales? ¿Tienes buenos padres? ¿Vives en una sociedad libre? ¿Qué más razones encuentras para ser feliz ahora mismo?

# 48 - Celebra tus victorias

Es de suma importancia para tu autoestima que estés constantemente consciente de tu progreso. Para de vez en cuando. Mira hacia atrás, de dónde vienes y celebra todas esas pequeñas victorias que tuviste en el viaje. No des estas pequeñas victorias por sentado y de ninguna manera dejes que pasen desapercibidas.

Mis clientes progresan enormemente porque tienen que celebrar continuamente sus pequeñas victorias cada semana. En primer lugar, puedes sentirte estúpido. Eso es normal. Nuestra mente no está acostumbrada a ésto. Estamos acostumbrados a machacarnos a nosotros mismos todo el tiempo por un error que cometimos en lugar de celebrar las cinco cosas buenas que hicimos ese día. Mejorarás. Aprenderás. Entonces, si te sientes estúpido, velo como una buena señal y hazlo de todos modos.

Vale la pena celebrar cada paso de acción completado. Por cada ejercicio en este libro que completes, por cada pequeña mejora que hagas, recompénsate. ¿Cómo? Puedes ir al cine o comprarte algo que siempre quisiste tener. Haz lo que te haga sentir bien.

Si ves una mejora significativa, haz una pequeña escapada. ¡Te lo has ganado!

# 49 - Ve el vaso medio lleno

Siempre verás más de aquello en lo que te enfocas. Por lo tanto, los beneficios de ver el vaso medio lleno son innumerables. Cuanto más te centres en cosas positivas como la felicidad, el optimismo y la gratitud, más verás todas las cosas positivas que te rodean y mejor te sentirás. Cuanto más positivo sea su cerebro, más esperará que continúe esta tendencia y, por lo tanto, más optimista será.

Suceden cosas malas, pero es en lo que eliges enfocarte lo que en última instancia crea tu realidad. Aprendimos de Victor Frankl que se podía encontrar algo bueno incluso en las peores circunstancias. Encontrar lo positivo no significa estar separado del "mundo real" e ignorar lo negativo.

Ambos coexisten, pero tú eliges lo que entra en tu percepción. Lo bueno es que una vez que esperas resultados positivos, esto hace más posible que surjan, porque nuestras creencias y expectativas se convierten en profecías que se autocumplen.

Puedes entrenar a tu cerebro para que se centre en los aspectos positivos y, como resultado de ello, verás más oportunidades con dos ejercicios muy fáciles:

1)  Haz una lista diaria de todas las cosas buenas que te han sucedido en tu trabajo, carrera y vida..

2) Por la noche, recuerda tres cosas buenas que te sucedieron a lo largo del día y revívelas en tu mente.

No te dejes engañar por la simplicidad de estos ejercicios. Son muy poderosos. Los considero en gran parte responsables de mi éxito, de ver ahora oportunidades en todas partes. Si haces esto sólo durante CINCO MINUTOS al día, estás entrenando a tu cerebro para que seas mejor en darte cuenta de ello y centrarte en las oportunidades de crecimiento personal y profesional, y también en aprovecharlos y actuar sobre ellos.

Al hacer este ejercicio sólo durante una semana, estarás más feliz y menos deprimido después de 1, 3 y 6 meses. Incluso después de parar, permanecerás significativamente más feliz y mostrarás niveles más altos de optimismo. Mejorarás cada vez más al escanear el mundo en busca de cosas buenas y escribirlas, y verás más y más oportunidades dondequiera que mires.

Las cosas que escribas no tienen por qué ser complicadas o profundas, solo específicas. Muchas veces son cosas simples como la sonrisa de un niño, una comida deliciosa, el reconocimiento en el trabajo, un momento en la naturaleza, etc. Conviértelo en un hábito. Hazlo a la misma hora cada día. Y asegúrate de que lo que necesitas para hacerlo sea fácil de acceder y simple. Por ejemplo deja tu diario encima del cojín para que te recuerdas de apuntar las cosas positivas antes de dormir

Una última advertencia. El falso optimismo no ayuda mucho y, tarde o temprano, incluso conduce a la desilusión, la ira y la desesperación. Necesitas entrenarte para convertirte en un "optimista realista". El pensamiento positivo por sí solo no es suficiente. Es sólo una parte de la fórmula. También hay que agregarle optimismo, pasión y trabajo duro.

# 50 - Sé agradecido por lo que tienes

Si me pidieras el ingrediente más importante de mi éxito; el ingrediente que me llevó de estar desempleado a autor *bestseller* internacional, respondería una cosa: La gratitud.

El poder de la gratitud es asombroso. Una vez que comienzas a adoptar una actitud de gratitud, notarás los beneficios de la misma en cuestión de semanas. Está científicamente comprobado que las personas que practican la gratitud se vuelven más felices, más optimistas y más sociales. Duermen mejor; Tienen menos dolores de cabeza y más energía. También tienen menos probabilidades de deprimirse, sienten menos ansiedad y tienen más inteligencia emocional. La gratitud también es un antídoto probado contra la envidia, la ira y el resentimiento.

Ser agradecido reconstruye tu cerebro para ver más cosas positivas que hay a tu alrededor. Verás más oportunidades y verás puertas abiertas para ti, donde antes no había ni una puerta.
Haz de la gratitud un hábito diario. Cuando estés agradecido por lo que tienes, más cosas por las que puedes estar agradecido entrarán en tu vida. Por lo tanto, se agradecido por lo que tienes e incluso por las cosas que aún no tienes.

A veces, cuando estás pasando por un momento difícil, puede ser difícil estar agradecido. Lo sé.

Pero créeme, siempre hay algo por lo que estar agradecido como estar vivo, tu cuerpo, tus talentos, tus amigos, tu familia o la naturaleza. Empieza por cosas pequeñas. Cuando estaba desempleado, estaba agradecido por tomar un café al sol, dormir bien por la noche y por tener amigos.

En lugar de comenzar el día quejándote por lo que no tienes o temiendo lo que vendrá, comienza diciendo "Gracias" por lo que tienes. Enfócate en todo lo que te va bien en tu vida por muy poco que sea.

Haz estos dos ejercicios durante tres semanas y déjame saber cómo te han ido y que han hecho para ti:

1) Escribe tres cosas por las que estás agradecido todos los días. Siente la gratitud con todo tu cuerpo y alma.

2) Haz una lista de todas las cosas por las que estás agradecido en tu vida. Mi lista incluye lugares que visité, amigos, experiencias, incluso malas experiencias con personas, porque me dieron la oportunidad de aprender.

# 51 - Crea un ambiente positivo

Lo que ves, y también lo que no ves conscientemente aunque esté allí, tiene un profundo impacto en tu estado de ánimo, actitudes y comportamiento. Entre otras cosas, puedes programarte para verte a ti mismo como alguien que tiene mucho éxito en la vida. Los científicos lo llaman *Priming* o acondicionamiento. Es cuando alguien, o tú mismo, planta conscientemente o inconscientemente una semilla, una creencia o una imagen en tu mente y cómo esto influye en tu comportamiento. Puedes usar el poder de las palabras y el poder de tus creencias para maximizar tu autoestima creando un ambiente positivo, que resalte lo mejor de ti. Aquí hay algunos ejemplos de cómo hacerlo:

Crea un lugar especial en tu hogar o en tu oficina donde pones cosas y objetos que te recuerdan tus éxitos y te motivan. Rodéate de premios que ganaste, con fotos de tus seres queridos y fotos de lugares que amas. Pon tus objetos favoritos en la mesa de tu oficina como, por ejemplo, tus recuerdos favoritos de tus vacaciones favoritas o tus libros favoritos. Escucha tu música favorita cuanto más puedas y mira videos motivadores que te inspiran.

Por ejemplo, si estás teniendo dificultades o si no tienes trabajo. Ahora que conoces las ventajas del *priming* o crear un entorno positivo, puedes crearlo para ti. Sólo escucha discursos positivos o mira muchos vídeos inspiradores. Ten tus libros favoritos muy cerca de ti. Léelos y busca cosas de vez en cuando. Ten tus citas favoritas cerca de ti (en un cuaderno o en un documento en tu computadora) y léelas todos los días. Tus citas de inspiración favoritas podrían ser citas sobre cómo lidiar con el miedo como, por ejemplo, uno de mis favoritos "Siente el miedo y hazlo de todos modos" o "La cueva a la que temes entrar contiene el tesoro que buscas".

Cuando te hayas caído, o hayas sido rechazado, puedes leer la cita "Si te caes siete veces, levántate ocho veces" o que cada fracaso conlleva la semilla de una oportunidad aún mayor, y así sucesivamente. Lo más importante es que no sólo leas estas citas inspiradoras, sino también ACTÚES. También puedes escuchar tu música favorita mientras trabajas. Es un increíble refuerzo de energía y felicidad y definitivamente funciona. Sólo ten en mente: en general es música feliz = estado de ánimo feliz, música triste = estado de ánimo triste.

Inténtalo. Esto aumentará tu autoestima, bienestar y rendimiento increíblemente.

# 52 - Crea tu propia suerte

Hablemos de suerte. ¿Alguna gente simplemente tiene suerte? ¿Por qué algunos de nosotros parecemos tener suerte constantemente mientras que otros parecen estar perseguidos por la mala suerte? ¿Podemos hacer algo acerca de nuestra suerte, o es simplemente algo que nos sucede? Pero antes de continuar: ¿Por qué estoy hablando de suerte en un libro de autoestima? Pues porque es imposible construir una autoestima saludable cuando crees que te persigue la mala suerte.

Richard Wiseman estudió a cientos de personas para su libro "El factor de la suerte" (The Luck Factor) y llegó a la siguiente conclusión: "En la ciencia, la suerte no existe. La única diferencia es si las personas piensan que tienen suerte o no. Si esperan cosas buenas o malas que les sucedan."

¿Cómo llegó a esta conclusión? Por ejemplo, en uno de sus innumerables estudios, pidió a los sujetos que leyeran un periódico y contaran cuántas fotos había en él. Los que se consideraron afortunados tardaron unos segundos en contar las fotos, mientras que los desafortunados tardaron un promedio de dos minutos. ¿Y cómo es eso? Pues en la segunda página del periódico, había un mensaje muy grande que decía "Deja de contar. Hay 43 fotos en este diario." La respuesta estaba en plena vista, pero las personas que se consideraban desafortunadas eran mucho más propensas a perdérsela, mientras que las personas afortunadas tendían a verla.

Pero Wiseman no se detuvo allí. A mitad del periódico, había otro mensaje que decía: "Deja de contar y dile al experimentador que has visto ésto y que ganas $250." Una vez más, las personas que decían tener mala suerte en la vida no vieron esta oportunidad. Atrapados en el enfoque negativo, fueron incapaces de ver lo que era claro para los demás y su rendimiento y sus carteras sufrieron por ello.

En sus estudios, Wiseman descubrió que las "personas afortunadas" tienen muchas características en común:

1. Los afortunados crean, notan y actúan sobre las oportunidades en su vida. Construyen redes sólidas y tienen una actitud relajada hacia la vida, mientras están abiertos a nuevas experiencias.

2. Las personas afortunadas toman decisiones exitosas usando su intuición. Escuchan su intuición y toman medidas para potenciarla.

3. Sus expectativas sobre el futuro les ayudan a cumplir sus sueños y ambiciones. Esperan que su buena suerte continúe e intentan alcanzar sus objetivos incluso si sus posibilidades de éxito parecen escasas. Perseveran ante el fracaso y esperan que sus interacciones con los demás serán acompañados por suerte y éxito.

4. Las personas afortunadas pueden transformar su mala suerte en buena suerte siempre viendo el lado positivo de su mala suerte. Están convencidos de que cualquier mala suerte en su vida, a largo plazo, servirá para lo mejor. Nunca insisten en su mala fortuna, sino que toman medidas constructivas para evitar más mala suerte en el futuro.

Así que sí. Ser afortunado o desafortunado es puramente una cuestión de que esperes que te sucedan cosas buenas y de tu enfoque. Cuando estás atrapado en la negatividad, tu cerebro es incapaz de darse cuenta de las oportunidades. Cuando eres positivo, tu cerebro permanece abierto para ver estas oportunidades y aprovecharlas. Una vez más, son nuestras expectativas las que crean nuestra realidad: si esperamos un resultado favorable, nuestro cerebro está programado para notar el resultado cuando realmente surja.

# 53 - Se positivo

No has nacido optimista ni pesimista. No es una cuestión de genes. De acuerdo, algunas personas nacen más felices y otras un poco más infelices, pero ser optimista o pesimista en última instancia se reduce a una cosa: ¿cómo interpretas los eventos?

¿Interpretas un evento como permanente ("Nunca") o como temporal ("un paso más cerca")? ¿Ves el fracaso como una catástrofe y te das por vencido o lo consideras una oportunidad para un futuro éxito?

¡Tengo buenas noticias! Se puede aprender el optimismo y aprender a interpretar eventos cómo optimistas conducen a un éxito mucho mayor. También fortalece tu sistema inmunológico biológico y psicológico. Y por último, pero no menos importante ... Los optimistas viven más tiempo. Esto no significa automáticamente que todos los pesimistas mueran jóvenes porque hay más cosas que tener en cuenta. Tampoco significa que todos los optimistas vivan mucho tiempo. Si fumas 40 cigarrillos al día, ser optimista podría no ayudar mucho.

Además, hay que tener cuidado con otra cosa muy importante: el falso optimismo tarde o temprano conduce a la desilusión, la ira y la desesperación. Necesitamos entrenarnos para convertirnos en "optimistas realistas". El pensamiento positivo por sí solo no es suficiente. También debe agregar optimismo, pasión y trabajo duro a la fórmula del éxito.

Otra razón es que nuestros padres a menudo se preocupan por nosotros, por nuestra felicidad y por nuestra autoestima. Ellos no quieren que nos decepcionemos. Piensan que las expectativas demasiado altas conducirán a la decepción, pero eso es totalmente erróneo. Más bien, son las falsas expectativas las que llevan a la decepción. En este caso, la falsa expectativa es que eventos pueden hacernos felices o infelices. Eso está mal. La ciencia descubrió que hay altibajos en torno a un nivel básico de bienestar. Estos altibajos en la vida son inevitables, cómo los gestionas es tu elección. La buena noticia es que puedes tomar más riesgos. Si te enfrentas a los problemas en vez de evitarlos, si te enfrentas a las cosas, si te arriesgas, si sales y lo intentas, aumenta tu nivel básico de felicidad y de eso se trata.

Sé optimista. Es más saludable para ti :)

# 54 - Sonríe mucho

Si todavía no lo haces, comienza a sonreír conscientemente hoy. Mira a los niños, por ejemplo. Se dice que los niños de 4 a 6 años ríen entre 300 y 400 veces al día, mientras que los adultos solo ríen 15 veces. Nos tomamos la vida demasiado en serio.

¡Sonríe! Incluso si no te apetece. Sonreír mejora la calidad de tu vida, salud y relaciones, y por supuesto también tu autoestima. Cuando sonríes, se liberan serotonina y endorfinas (que te hacen sentir bien). La sonrisa también reduce la presión arterial y aumenta la claridad. Mejora el funcionamiento de tu sistema inmunológico y proporciona una perspectiva más positiva de la vida (intenta ser pesimista mientras sonríes ...). Cuando sonríes, todo tu cuerpo envía al mundo el mensaje "La vida es genial". Serás percibido como más seguro y será más probable que la gente confía en ti. La gente se sentirá bien a tu alrededor.

La ciencia ha demostrado que reír o sonreír mucho a diario mejora tu estado mental y tu creatividad. Entonces, ¡ríete más! Te recomiendo que veas un par de minutos de videos divertidos de YouTube o comedias todos los días y te rías hasta que las lágrimas caigan por tus mejillas. ¡Algunas personas en realidad se curaron de enfermedades al ver comedias todo el día! Te sentirás mucho mejor y lleno de energía si comienzas este hábito. ¡La ciencia dice que incluso serás más productivo! Simplemente pruébalo.

Un estudio realizado por Tara Kraft y Sarah Pressman en la Universidad de Kansas demostró que la sonrisa puede alterar tu respuesta al estrés en situaciones difíciles. El estudio demostró que puede disminuir la frecuencia cardíaca y disminuir los niveles de estrés, incluso si no te sientes feliz. La sonrisa envía una señal a tu cerebro de que las cosas están bien. Simplemente inténtalo la próxima vez que te sientas estresado o abrumado, y hazme saber si funciona.

Es verdad. A veces, no tenemos ninguna razón para sonreír. Si crees que no tienes ningún motivo para sonreír, sostén un bolígrafo o un palillo con los dientes. Esto simula una sonrisa y produce los mismos efectos en tu cerebro como lo haría una sonrisa real. Tu cerebro piensa que eres feliz y comienza a liberar hormonas de la felicidad y luego te vuelves más feliz. Por supuesto, no se trata de fingir sonrisas y de oprimir la tristeza, pero estos pequeños trucos pueden darte una ventaja en un mal día, y quizás acabas sintiéndote bien de todos modos.

Si necesitas aún más incentivos para sonreír, busca el estudio de la Universidad de Wayne sobre la sonrisa, que ha encontrado un vínculo entre la sonrisa y la longevidad.

¡Sigue sonriendo!

# 55 - Mímate

Una manera simple y muy efectiva de elevar tu autoestima es tratarte muy bien y ser muy amable contigo mismo. Mímate. Cambias la forma en que las personas te tratan, cambiando la forma en que te tratas a ti mismo. Es un hecho.

Para empezar, escribe una lista de 15 cosas que puedes hacer para darte un capricho, como tomarte un "tiempo a solas", leer un buen libro, ir al cine, recibir un masaje, explorar la naturaleza, ver un amanecer, sentarte junto al agua, salir a caminar con tu pareja, llamar a un amigo, llevar a alguien a almorzar, escuchar tu música favorita, tomar un baño de burbujas, hacer un "día de spa", tomar una copa, hacer una noche de cine en casa, desayunar en el mejor hotel o restaurante de la ciudad y así sucesivamente. Sé creativo.

Es realmente increíble. Una vez que empieces a tratarte bien, estos pequeños ejercicios harán milagros para tu autoestima.

Así que, como dije, haz una lista de todas las cosas que harás y luego haz una de ellas todos los días, o al menos cada dos días durante las próximas dos semanas. Reserva un tiempo para tus momentos especiales en tu horario.

## 56 - Crea tu propia felicidad

La felicidad es una elección, y los mayores obstáculos son las limitaciones autogeneradas, como creer que no eres digno de la felicidad.

Si no te sientes digno de ser feliz, entonces tampoco sientes que mereces las cosas buenas de la vida, las cosas que te hacen feliz y eso será exactamente lo que te impide ser feliz. Pero no te preocupes. Puedes aprender a ser más feliz.

La ciencia confirma que la felicidad es una elección. Depende de nuestra elección en que nos centramos. Por lo tanto, elige la felicidad. Elige concentrarte en todas las cosas buenas que te rodean, sonríe mucho, agradece lo que tienes, medita durante cinco minutos al día y corre tres veces durante treinta minutos por semana. Éstos son ejercicios científicamente comprobados que te harán más feliz.

La diferencia entre personas extremadamente felices y personas extremadamente infelices no es que un grupo se sienta triste, ansioso o deprimido y el otro no. La diferencia es la rapidez con la que nos recuperamos de estas emociones dolorosas. La felicidad no es una cosa que te sucede. Es una elección, pero requiere esfuerzo. Son pequeños hábitos como el optimismo y la alegría que se practican con el tiempo.

No esperes a que alguien más te haga feliz porque eso podría ser una espera eterna. Ninguna persona o circunstancia externa puede hacerte feliz. Sólo tú puedes hacerte feliz.

La felicidad es un trabajo interior. Las circunstancias externas son responsables sólo del 10% de tu felicidad. El otro 90% es cómo actúas ante estas circunstancias y qué actitud adoptas. Las recetas científicas para la felicidad son las siguientes: Circunstancias externas, el 10%, los genes, el 50% y las actividades intencionales, que es dónde entran el aprendizaje y los ejercicios, el 40%. Algunas personas nacen más felices que otras, pero si tú has nacido infeliz y practicas los ejercicios, te volverás más feliz que alguien que nació más feliz y no los hace. Lo que ambas ecuaciones tienen en común es la poca influencia de las circunstancias externas en nuestra felicidad porque generalmente asumimos que nuestras circunstancias tienen un impacto mucho mayor.

Sé feliz siendo quién eres. Lo divertido es que la felicidad muchas veces se encuentra cuando dejas de buscar. Disfruta cada momento. Espera milagros a la vuelta de cada esquina y tarde o temprano te encontrarás con uno. Sea lo que sea en lo que te concentras verás más de ello. Elige concentrarte en oportunidades, elige concentrarte en lo bueno y elige concentrarte en la felicidad. Crea tu propia felicidad.

# 57 - Escribe en tu diario

¿Quieres mejorar tu autoestima? Empieza a escribir en un diario. Como consecuencia, también serás más feliz y más exitoso. Sí, tener un diario y reflexionar sobre tus días hace este tipo de milagros.

Tómate un par de minutos al final de tu día y echa un vistazo a lo que hiciste bien, obtén algo de perspectiva, revive los momentos felices anótalo todo en tu diario.

Esto te dará un impulso adicional de felicidad, motivación y autoestima cada mañana y tarde. Tiene el efecto secundario positivo de que justo antes de dormir, concentrarás tu mente en cosas positivas, lo que tiene un efecto beneficioso en tu sueño y tu mente subconsciente. Tu atención se centra en las cosas positivas del día y la gratitud en lugar de las cosas que no funcionaron bien, lo que probablemente te mantendría despierto.

Haz un esfuerzo por responder las siguientes preguntas cada noche antes de dormir y escríbelas en tu diario:

- ¿Para qué estoy agradecido? (Escribe 3 -5 puntos)
- ¿Qué tres cosas me han hecho feliz hoy?
- ¿Qué tres cosas hice particularmente bien hoy?
- ¿Cómo podría haber hecho hoy aún mejor?
- ¿Cuál es mi meta más importante para mañana?

No te rindas demasiado rápido. Quizás en el inicio te cuesta responder las preguntas. Mejorarás con la práctica. Escribe lo que se te ocurra sin pensar y no lo juzgues. ¡Haz ésto todos los días durante un mes y observa los cambios que se producen! Con un cuaderno regular o un calendario ya basta.

Escribir en tu diario mejora tu foco y reduce el estrés. Los estudios han encontrado que tiene innumerables beneficios para la salud. ¡Un estudio realizado por el Departamento de Medicina Psicológica de la Universidad de Auckland Nueva Zelanda del 2013 hasta encontró que provoca la curación de heridas de forma más rápida! Los miembros del grupo que escribió en su diario se curaron más de un 75% más rápido que los que no escribían en el diario. Investigaciones adicionales muestran que escribir en un diario resulta en una reducción del absentismo laboral, un reempleo más rápido después de la pérdida de un empleo y mejores notas para los estudiantes.

Piénsalo. Las personas que escribieron en su diario durante sólo 15 minutos al día curaron sus heridas más rápido, mejoraron su sistema inmunológico y también sus notas. Si hubiera una pastilla para eso, saldría volando de los estantes. Escribir sobre las cosas las pone en perspectiva. Estructura y organiza tus pensamientos y sentimientos. En última instancia, esto te ayuda a pasar por momentos malos. Dormirás, te sentirás y pensarás mejor y tendrás una vida social más rica. Todo esto fortalecerá tu sistema inmunológico y mejorará tu salud.

# 58 -Mira el lado bueno de las cosas

No hay nada bueno o malo; Es nuestro pensamiento lo que lo hace así. Todas las situaciones son neutrales primero, y luego tu juicio hace que la situación sea buena o mala. Las experiencias en sí mismas son neutrales hasta que comenzamos a darles un significado.

Si pensamos que una situación es mala, es solo porque la vemos desde ese punto de vista. Si creemos que es malo, encontraremos información que confirme nuestra creencia (sea correcta o no). Funciona de la misma manera al revés. Si decidimos ver la situación desde un punto de vista positivo, buscaremos evidencia que confirme nuestra creencia. Recuerda: siempre ves más de lo que te enfocas.

Aprende a reinterpretar situaciones. Entrénate para buscar el lado positivo de las cosas, y tendrás muchas más posibilidades de ver los efectos positivos que se encuentran dentro de la experiencia. Hay algo bueno escondido en todo lo malo, aunque a veces, puede llevar algo de tiempo descubrirlo.

No es lo que sucede en tu vida lo importante; Es cómo respondes a lo que te sucede lo que hará tu vida. La vida es una cadena de momentos, algunos felices, otros tristes, y depende de ti hacer lo mejor de cada uno de esos momentos.

Si miras hacia atrás a cada experiencia negativa en tu vida, apuesto a que encontrarás algo bueno en ella. Si siempre buscas lo bueno en cada situación la calidad de tu vida cambiará drásticamente.

Para tu autoestima, tener una actitud positiva y saber encontrar el lado positivo de todo lo que te sucede es de suma importancia. Al elegir conscientemente concentrarte en el lado positivo de cada situación con la que te encuentras, eliges tomar el control total de tu vida y dejas de ser una víctima.

Tu actitud puede cambiar tu manera de ver las cosas dramáticamente y también tu forma de enfrentarlas. La vida se compone de risas y lágrimas, luces y sombras. Tienes que aceptar los momentos tristes cambiando tu forma de verlos. Todo lo que te sucede es un desafío y una oportunidad al mismo tiempo.

# 59 - Realiza un acto desinteresado todos los días

Si regalas bondad, por lo general vuelve a ti. Usa ésto a tu favor. Innumerables estudios demuestran que la felicidad y la autoestima crecen cuando ayudas a otras personas. Dicen que gastar dinero no compra la felicidad, pero ahora es un hecho que gastar dinero en otras personas o experiencias te hace más feliz. Puedes hacer que el mundo sea un poco mejor si eres amable con un extraño todos los días.

Ofrece tu asiento en el tren, mantén la puerta abierta para alguien, paga el peaje por el coche que está detrás de ti, guarda el equipaje de mano de alguien en tu próximo vuelo, regala muchas sonrisas, etc. Se creativo. Recuerda, "cosecharás lo que siembres."

Si realizas un acto desinteresado o un acto de bondad todos los días, notarás que después de un tiempo las personas realizarán actos desinteresados por ti. La parte difícil es: no esperes que lo hagan. Haz el bien a otras personas sin esperar nada a cambio.

Reconoce a las personas con sinceridad, trata a las personas con amabilidad, agradece sinceramente. Una vez que adquieras el hábito de realizar actos desinteresados, hacer el bien comenzará a ser lo mismo que sentirte bien.

Mejorar el mundo comienza contigo. Comienza hoy, y haz por lo menos UN acto aleatorio de bondad todos los días. Impacta las vidas de otras personas de manera positiva y significativa, y Tu autoestima se disparará.

# Parte V
# El Poder del Enfoque

## 60 - Enfócate en lo que quieres

En lo que te estás enfocando se expande. La razón número uno por la cual las personas no obtienen lo que quieren es que ni siquiera saben lo que quieren. La razón número dos es que mientras se dicen a sí mismos lo que quieren, se concentran en lo que no quieren.

Recuerda enfocarte en lo que quieres de ahora en adelante. Si te enfocas en las fortalezas de una persona que conoces, verás más de ellas, y si te enfocas en sus debilidades, las verás por todas partes. Cuidado aquí: lo mismo se aplica a TUS fortalezas y debilidades.

¿Dónde está tu enfoque? ¿En lo positivo o lo negativo? ¿En el pasado o en el presente? ¿Te centras en problemas o en soluciones? Esto es crucial. Aquí es donde la ley de atracción sale mal para la mayoría de las personas, y se dan por vencidos. Dicen "Estoy atrayendo dinero", "Soy próspero", pero al mismo tiempo se concentran la mayor parte de su tiempo en las facturas que tienen que pagar, en el dinero que sale, en el hecho de que no están ganando demasiado ¿Así que lo que sucede? Atraen más de las cosas que no quieren.

Atraerás más de aquello en lo que te enfocas. Tu energía fluirá en la dirección de tu enfoque, y tu enfoque determinará tu percepción general del mundo. ¡Enfócate en las oportunidades, y verás más oportunidades! Enfócate en el éxito y el éxito vendrá a ti. Enfócate en elevar tu autoestima, y tu autoestima aumentará.

# 61 - Enfócate en tus fortalezas

Si a menudo te encuentras con personas tóxicas, éstas podrían verse tentadas a indicarte todas tus debilidades. Ignóralas. Si bien es bueno estar al tanto de nuestras debilidades, las conocemos, no necesitamos que nadie nos las recuerde siempre, es mejor para nosotros tomar conciencia y concentrarnos en nuestras fortalezas. ¿Por qué? Porque vemos más de lo que nos centramos. ¿De qué ves más? Bien, eso pensaba yo. De tus FORTALEZAS.

Por lo tanto, echémosles un vistazo. Es hora de descubrir en qué eres bueno, ¿verdad? ¿Por qué no sacas un papel o incluso puedes escribirlo en esta página, si hay espacio? Listo. De acuerdo. Aquí viene.

¿Cuáles son tus CINCO MEJORES cualidades personales y fortalezas profesionales? Quiero decir ¿Cuáles son tus fortalezas únicas? ¿de qué estás más orgulloso? ¿Qué haces mejor?

¿Cuáles son tus logros personales y profesionales más significativos? ¿De qué estás más contento y orgulloso de haber logrado?

¿Cuáles son tus activos personales y profesionales? ¿A quién conoces? ¿Qué sabes? ¿Qué dones tienes? ¿Qué te hace único y poderoso?

¿Listo? ¿Cómo se siente? ¿Has encontrado tus puntos fuertes? ¿Sí? Entonces es tiempo de fortalecerlos. Practícalos y concéntrate en ellos: los que tienes y los que quieres.

# 62 - Haz el trabajo que amas

Pasas la mayor parte de tu tiempo en el trabajo, y en el informe Gallup 2013 "El estado del lugar de trabajo en Estados Unidos", se afirma que la mayoría de las personas no están contentas con su trabajo. Para ser exactos, el 70% de las personas están descontentas en el trabajo.

Notarás si eres uno de ellos, si para ti es normal que te cueste levantarte de la cama por la mañana, pausas el botón de tu despertador varias veces y te levantas lo más tarde posible. Luego, una vez en tu lugar de trabajo, el tiempo parece ir más lento y es difícil enfrentarte a tus tareas diarias. Así que ¿qué hacemos? Nos inventamos excusas diciéndonos que estamos bien y que probablemente estaríamos peor en otro lugar. Esperamos nuestro salario, el fin de semana, el próximo día festivo o nuestras vacaciones.

Habiendo llegado a este punto, hay tres opciones - bueno en verdad hay muchas más pero nos miramos estas tres:

1.  Quédate en tu trabajo y vuélvete aún más amargo, miserable e infeliz.

2.  Cambia de trabajo. No tiene sentido desperdiciar tu vida en una situación como esa. Tal vez no puedas cambiar ahora porque tienes una familia, una hipoteca y facturas que pagar, pero puedes comenzar a hacer planes y buscar alternativas.

Decide lo que quieres. Establece objetivos realistas, divídelos en tareas más pequeñas y comienza a trabajar para lograrlos, paso a paso. Haz más de lo que amas. Un *Coach* de carrera puede ser de gran ayuda. ¡Ojo! A veces tienes que trabajar en un trabajo que no amas durante un tiempo para luego tener los recursos para trabajar en lo que amas.

3.  Encuentra un significado a tu trabajo y elige verlo desde una perspectiva diferente. Lo bueno es que, en realidad, no depende tanto del trabajo que realices, sino más aún de TU percepción del trabajo. Siempre habrá componentes positivos de un trabajo, pero las personas que se queman no los ven. Una vez más, la elección es tuya.

Si amas tu trabajo, todos ganan. Si disfrutas con lo que haces, eres más feliz y, como resultado, eres mucho más efectivo y productivo en tu trabajo, lo que aumenta el resultado de la empresa y aumenta la felicidad de todos los que te rodean, brindando a tus clientes un gran producto y gran servicio al cliente. Como dije: todo el mundo gana.

# 63 - Aprende y practica nuevas habilidades

Aprende algo nuevo al menos una vez al mes. No tiene que ser un proyecto grande. Sólo una pequeña cosa. Una palabra de un nuevo idioma todos los días, controla tu presupuesto, aprende una nueva receta de cocina. Al aprender cosas nuevas, ganarás confianza en ti mismo.

Una vez que hayas aprendido nuevas habilidades, podrás ponerlas en práctica cuando surja la ocasión. ¿Qué tiene que ver ésto con tu autoestima? ¡Mucho! En primer lugar, estás tomando la riendas de tu vida y no dependiendo de otras personas. Segundo: adquirir nuevas habilidades, cosas que tal vez pensaste que no podías hacer antes y ponerlas en práctica fortalecerá tus sentimientos de capacidad, competencia y valor, que son ingredientes extremadamente importantes de tu autoestima. Una vez que aumentan estos, tu autoestima también aumenta. También contribuirán directamente a tu sensación de tener el control de tu vida, que es otro ingrediente crucial de la autoestima. Cuantas más cosas aprendas, más control tendrás y no tendrás que depender de otras personas.

Otro efecto secundario es que las cosas pequeñas a menudo conducen a grandes resultados. En un estudio de las personas más exitosas, se descubrió que hacen cosas nuevas todos los días. Estos pequeños cambios llevan a cambios más grandes y a muchas "oportunidades casuales". Pruébalo.

# 64 - Sigue mejorando

Mírate a ti mismo como un trabajo en progreso. Nunca dejas de aprender. Haz un esfuerzo para mejorarte a ti mismo. Una buena manera de mejorar tu autoestima es trabajar en tus fortalezas y mejorar tus debilidades. Todo comienza una vez más con mirarnos a nosotros mismos, preguntándonos qué nos gustaría cambiar sobre nosotros mismos, o qué nos gustaría lograr.

Entonces es hora de establecer metas. Objetivos realistas. Aunque deberían retarte un poco.

Si no eres del tipo de gente que se autocastiga a menudo, puedes establecer metas enormes. Si las alcanzas, genial. Si no, también es genial. Celebras lo lejos que has llegado y luego sigues persiguiendo tu objetivo. Si eres más del tipo de la autotortura y del autocastigo cuando no alcanzas una meta, entonces es mejor establecer metas más pequeñas. Una vez que estableces tus metas, haz un plan sobre cómo llegar allí y haz un seguimiento de tu progreso.

Un efecto secundario agradable es que la voluntad de seguir mejorando, la voluntad de seguir aprendiendo, el hábito de hacer preguntas siempre es también una de las dos características que distinguen a las personas extraordinariamente exitosas del resto. El otro es creer en ti mismo.

Sigue mejorando. ¡Las recompensas son maravillosas!

# 65 - Encuentra tu propósito

Mark Twain dijo una vez que "los dos días más importantes de tu vida son el día en que naces y el día en que descubres por qué". ¡Qué razón tenía este hombre!

¿Cuál es tu propósito? ¿Por qué estás aquí? ¿Qué harías si el éxito estuviese garantizado? ¿Qué harías si tuvieras diez millones de dólares, siete casas y hubieras viajado a todos tus destinos favoritos?

Responder estas preguntas te llevará a tu propósito.

Si sientes que estás conduciendo sin una hoja de ruta o un GPS y realmente no sabes a dónde ir, o si nunca sabes qué estás haciendo aquí y por qué, y te sientes perdido y vacío, entonces eso es una señal de qué aún no has encontrado tu propósito. Apuesto a que ya sabes tu propósito, ha cruzado tu mente de vez en cuando o más a menudo, pero dijiste "de ninguna manera, quién soy yo para …".

No estás solo. La falta de propósito parece haberse convertido en una epidemia de masas en nuestro tiempo. Yo también he estado allí. No te preocupes Se puede arreglar. Vamos a trabajar en ello.

Puedes encontrar pistas sobre tu propósito examinando tus valores, habilidades, pasiones y ambiciones, y observando en qué eres bueno. Ten el coraje de responder las siguientes respuestas sobre ti y escríbelas.

Ellas te llevarán a tu propósito. Se honesto contigo mismo. Nadie más, sólo tú, puedes ver las respuestas. No te las saltes (como hice yo durante casi veinte años. Una vez que respondas estas preguntas honestamente, todo cambiará.

¿Quién soy?
¿Por qué estoy aquí?
¿Qué me inspira?
¿Por qué existo?
¿Qué es lo que realmente quiero hacer con mi vida?
¿Cuándo me siento completamente vivo?
¿Qué estoy haciendo cuando el tiempo vuela?
¿Cuáles son mis mayores fortalezas?
¿Qué haría si se garantizara el éxito?
¿Qué haría si tuviera diez millones de dólares, siete casas y hubiera viajado por todo el mundo?

No te preocupes. Sin presión. No tienes que apresurarte hacia algo nuevo, pero puedes comenzar a hacer más de las cosas que amas. Cuando encuentres tu propósito, las cosas empezarán a encajar, y cosas increíbles empezarán a suceder. Comenzarás a atraer personas, oportunidades y recursos de forma natural. Nada atrae el éxito más que alguien que está haciendo lo que le gusta hacer.

# 66 - Los errores son inevitables. El aprendizaje es opcional

¿Quieres saber el secreto que te llevará a dejar de cometer un solo error más en tu vida? ¡Yo también! Desafortunadamente, este secreto no existe.

Los errores son inevitables, y harás bien en aceptar que harás uno de vez en cuando en el viaje de tu vida. Algunos pequeños y algunos grandes. Algunos incluso te harán sentir miserable. Pero incluso en nuestras horas más oscuras, debemos recordar que los errores son muy importantes para nuestro crecimiento personal y que podemos aprender de cada uno de ellos.

Si lo hacemos, nuestros errores pueden ser una fuente invaluable para nuestro desarrollo. Cada vez que cometes un error, estás eliminando una solución equivocada, y estás dando un paso adelante en la búsqueda de la solución correcta, como Thomas Edison, que encontró 10,000 formas de cómo no funciona la bombilla.

Permítete cometer errores, fallar, equivocarte y serás recompensado con oportunidades de mejora en todos los niveles, lo que aumentará considerablemente tus posibilidades de alcanzar tus metas, tu éxito y tu bienestar.

# 67 - No te rindas

En el camino hacia una autoestima saludable, pueden aparecer obstáculos. Más de una vez, tendrás la tentación de rendirte y volver a tus viejos hábitos. No lo hagas

Sé que me estoy repitiendo Simplemente es muy importante que sigas creyendo en ti mismo y trabajando incluso frente a las resistencias. Y las resistencias aparecerán. Muchas veces, la vida se vuelve más caótica antes del gran avance. Como si la vida, Dios, el universo o tu mente quisieran ponerte a prueba por última vez y ver si realmente tomas en serio tu objetivo. A menudo, mis clientes de coaching tuvieron "la peor semana de mi vida" justo antes de la semana siguiente de obtener un nuevo cliente, un aumento de sueldo, un trabajo, un gran avance, etc.

Muy a menudo, cuando todo parece ir en tu contra, cuando las dudas y el miedo hacen lo mejor para que renuncies, cuando estás a punto de rendirte, es cuando estás más cerca de la victoria de lo que siempre has soñado. Por lo tanto, cuando te enfrentas a una situación como esta, sólo empuja un poquito más hacia tu objetivo. Es este último impulso el que puede hacer toda la diferencia entre el "fracaso" y el éxito.

¿Conoces la historia del hombre que buscó oro, cavando a 10 metros de profundidad y luego se rindió? El siguiente tipo que vino a la mina cavó a medio metro más de profundidad y encontró un depósito de oro masivo. Hay cientos de historias como ésta. No seas la persona que se da por vencida justo antes de ganar el premio gordo.

Thomas Alva Edison, uno de los más grandes inventores de la historia de Estados Unidos, nos presenta su manera segura de triunfar: "La forma más segura de triunfar siempre es intentarlo solo una vez más". Cuando estés cerca de renunciar, piensa en sus palabras y de las palabras de Mary Anne Radmacher, que nos enseña que: "El coraje no siempre ruge. A veces el coraje es la voz tranquila al final del día que dice: 'Volveré a intentarlo nuevamente mañana'".
No te rindas.

# 68 - El fracaso es una mentira

¿Cómo aprendiste a caminar? ¿Cómo aprendiste a comer? ¿Cómo aprendiste a dibujar?

Intentándolo una y otra vez. Al caer una y otra vez. ¿Podrías haber aprendido a caminar sin caerte cientos de veces? Lo dudo. ¿Recuerdas cómo comiste cuando eras pequeño? Necesitaste algo de práctica para comer como comes hoy, ¿verdad?

Como niños, lo sabemos. Disfrutamos la alegría de aprender. Nos gusta caernos y levantarnos de nuevo. Y luego, cuando llegas a una cierta edad y notas que la gente te está mirando, esta alegría desaparece ... De repente, quieres mantener una imagen determinada. De repente, empiezas a evitar en lugar de intentarlo. El famoso "Y si" entra en tu vida "Y si me caigo?", "¿Y si ella dice que no?", "¿Y si a mis compañeros no les gusta lo que digo?" Y pagamos el precio por ello. Este problema de "no afrontar" afecta nuestra autoestima, afecta nuestra confianza, afecta nuestra resiliencia y afecta nuestros niveles de felicidad a largo plazo.

¡Recuerda cómo aprendiste! Te caes, y luego te levantas de nuevo. Pierdes el partido y luego ganas el partido. No hay otra manera. No hay otra forma de crecer. No hay otra forma de aprender. No hay otra manera de ser resistente, de ser más feliz y de ser más exitoso. Es intentar y fallar, intentar y fallar y tener éxito e intentar y fallar nuevamente. Aceptando tus errores como *feedback* y aprendiendo de ellos.

Como dice el profesor de Harvard Tal Ben Shahar: "Aprende a fallar o falla en aprender".

DEBES aceptar que fallarás de vez en cuando. ¡Espero que falles muchas veces! No me malinterpretes ahora. Es porque cuanto más a menudo fallas, más a menudo tendrás éxito. Es un juego de números.

# 69 - Comete errores

Este capítulo trata sobre tener un enfoque diferente hacia el viaje de tu vida, hacia cada paso del camino y, especialmente, hacia cometer errores. ¿Sabes que el mayor error que puedes cometer es tener miedo de cometer uno?

Tengo que avisarte. Incluso después de este capítulo, no podrás omitir el dolor del fracaso, porque es inevitable. Sin embargo, espero para ti que adquieras un enfoque más racional, más útil y más poderoso hacía cometer errores.

Recuerda que cada vez que fallas, cada vez que cometes un error, estás aprendiendo algo que es necesario para tu crecimiento personal y que te proporciona información y motivación. Cada error que cometes, si aprendes de él, puede convertirse en otro paso hacia tu éxito. Los errores son sólo un problema si no aprendes de ellos. Deja de castigarte por cometer errores. No te tortures a ti mismo; No te digas a ti mismo que eres estúpido. Aprende algo de eso y sigue adelante. Evita el error de creer que siempre tomas las decisiones equivocadas. Esto sólo hará que te sientas inseguro y aumentará la posibilidad de cometer nuevos errores.

En cambio, sé amable contigo mismo cuando cometes un error. Sucede. Aprende la lección y evita cometer el mismo error en el futuro. Eso es. Fácil, ¿no? Prepárate a cometer errores. Prepárate para el peor de los casos. "¿Qué pasa si …"

Entonces, en el peor de los casos, cometes un error. ¿Qué pasa? Aprendes. No es cómodo. Duele, pero te recuperarás, como hiciste antes. Eso es. Ya está.

Déjame terminar este capítulo con una historia - algunos la atribuyen a IBM, otros lo atribuyen a Southwest Airlines - un caso en el que un empleado cometió un error estratégico. Hizo perder a la empresa un millón de dólares. Entonces, al día siguiente, va a ver a su jefe y le entrega su carta de renuncia. El jefe pregunta: "¿Por qué?" El empleado responde: "Acabo de cometer un error que le costó a la empresa un millón de dólares" Y su jefe responde: "¡Ni se te ocurra! No aceptaré tu renuncia. ¡Acabo de invertir un millón de dólares en tu formación!"

Haz lo mejor de lo que te suceda. Ve cada error como una oportunidad de aprendizaje o una experiencia de aprendizaje.

# 70 - El dolor es temporal, el sufrimiento es opcional

Seamos honestos. Tarde o temprano, a las personas buenas les pasan cosas malas. Esto forma parte de la vida. Tenemos que aceptarlo. Incluso las personas más felices del mundo experimentan emociones negativas como tristeza, rabia o decepción. Pero tienes una opción: puedes ver la mala experiencia simplemente como eso: como algo horrible, una catástrofe y sufrimiento, o puedes buscar la lección que contiene esta dificultad, utilizarla para tu desarrollo personal y aprovecharla al máximo.

Puedes usar los momentos tristes de tu vida para aprender a disfrutar más de los momentos felices y estar más agradecido por todo lo que tienes en la vida.

Superar las dificultades puede incluso fortalecer tu autoestima y confianza en ti mismo y la próxima vez que se presente una mala experiencia, ya sabes que puedes recuperarte y volver más fuerte que nunca porque ya lo has hecho antes. Si aprendes la lección correcta, las dificultades pueden hacerte una persona más humilde, paciente, empática, resiliente e incluso más feliz. Muchas veces, las personas más felices han tenido las historias personales más tristes.

La historia está llena de personas a las que les sucedieron cosas terribles, que aprovecharon al máximo la experiencia y dejaron su huella en la humanidad.

El psicólogo judío Victor Frankl nos enseñó la máxima libertad humana basada en sus horrendas experiencias en un campo de concentración alemán durante la segunda guerra mundial: "elegir la actitud de uno en cualquier circunstancia". Cuando la vida te lanza un golpe bajo, recuerda que el dolor es inevitable, pero el sufrimiento es opcional.

# 71 - No te castigues por tus errores

¿Por qué nuestros errores nos hacen daño? ¿Por qué nos culpamos por nuestros errores todo el tiempo? ¿Por qué nos castigamos por errores que eran imposibles de prever? ¿Por qué nos sentimos culpables por problemas de los que no podríamos hacer nada? ¿Por qué?

No te involucres en este tipo de comportamiento autodestructivo y debilitante. Esto es veneno para tu autoestima.

Ya hemos llegado a la conclusión de que los errores son inevitables. Una vez que cometas un error, no tiene ningún sentido el castigarte por ello. De todos modos no puedes cambiarlo ¿verdad?

Simplemente aprende de ese error. Una vez que empiezas a aprender de tus errores, no tiene más sentido que te castigues por ellos.

Cuando cometo un error o tomo una decisión equivocada, y eso sucede mucho, en lugar de machacarme y verlo todo negativo, siempre pienso que dadas las circunstancias y la información que tenía en ese momento; fue la única y mejor decisión que pude tomar en ese momento. Siempre es fácil juzgar nuestras decisiones mirando hacia atrás y teniendo  toda la información, pero la mayoría de las veces no tenemos toda la información cuando tenemos que tomar la decisión.

Esta técnica me ayuda a estar bien conmigo mismo, perdonarme mis errores y me ayuda a aprender. Pruébalo y observa cómo funciona para ti.

# 72 - ¡Libertaaaaaad!

Muchos de nosotros en nuestro viaje le damos demasiada importancia a las opiniones de otras personas. Dos de las peores preguntas que nos llevamos con nosotros, probablemente provenientes de nuestros padres, la educación y la sociedad, son: "¿Qué pensarán los demás de mi? O "Que dirán los otros".

Honestamente. ¿Cómo sería tu vida sin estas preguntas? Probablemente sería mucho mejor. Me he reunido con innumerables personas que entraron en malas relaciones, trabajos o permanecieron en malas relaciones y malos trabajos sólo por hacerse estas preguntas.

¿Y qué pasa? Si nos preocupamos demasiado por lo que otras personas piensan de nosotros, comenzaremos a vivir la vida que otras personas quieren para nosotros y no la vida que nosotros queremos para nosotros mismos. Hacemos lo que ellos quieren, en lugar de lo que queremos; Constantemente hacemos cosas para obtener la aprobación de los demás, no porque nos guste hacerlo.

Cuanto más importantes son las opiniones de los demás para nosotros, más de nuestra libertad cedemos; y menos vivimos la vida como queremos. Hacemos menos de lo que queremos hacer, decimos menos de lo que queremos decir, e incluso pensamos menos de lo que queremos pensar e inevitablemente pagamos el precio por ello.

Es imposible desarrollar una autoestima saludable mientras sobrevaloramos la opinión de los demás y mientras la tomamos demasiado en serio. Peor aún, nuestra autoestima empeora porque, en el peor de los casos, sentimos que somos menos personas que las que siempre nos dan sus opiniones.

Reclamar tu libertad y ser independiente de la opinión de otras personas es de suma importancia. No depender de las opiniones y la aprobación de los demás es genial. Te encantará.

# 73 - Usa la crítica como *feedback*

Recuerdas el capítulo sobre críticas y cómo no tomarlas personalmente? Hay más. Hay pocas cosas que te dicen más sobre tu autoestima que tus reacciones a la crítica. ¿Alguna vez notaste que cuando estás súper contento contigo mismo, las críticas de otras personas rara vez te afectan? Por otro lado, cuando nuestra autoestima es un poco baja, es más probable que seamos sensibles a los comentarios críticos y veamos las críticas de otras personas como un ataque personal.

Seamos sinceros. Las críticas, incluso si son constructivas, siempre duelen un poco. Y eso está bien. Cuando estoy empezando un libro, soy muy sensible a las críticas. Sólo entrego capítulos de muestra a personas que conozco que me darán una buena respuesta, porque en las etapas iniciales de un nuevo libro no tengo suficiente confianza. Más adelante, estoy más abierto a ello y ahora uso las críticas para mejorar mis próximos libros.

Entonces, cuando te enfrentas a una crítica honesta y constructiva, utilízala como *feedback* y aprende de ella. Además, recuerda que si alguien critica algo que haces, eso no significa que te critiquen como persona. Si alguien hace comentarios negativos sólo para atacarte personalmente, tómalos con una sonrisa (la mejor manera de mostrar tus dientes a un crítico es sonreír), ve al capítulo "No tomes las críticas personalmente" y vuelve a leerlo.

# Parte VI
# Cuerpo & Mente

## 74 - Tomate un poco de tiempo "a solas"

Pasar algo de tiempo "a solas" es importante. Conviértelo en un hábito de tomar al menos media hora todos los días para ti. Este es TU tiempo, y puedes hacer lo que quieras con él. Es un buen momento para escribir en tu diario, planificar tu día, leer, reflexionar o meditar.

Te recomendaría hacer un ritual matutino. Al estudiar a las personas más exitosas, descubrí que la mayoría de ellas tenían una rutina matutina y hacen exactamente esas cosas.

Tu ritual matutino podría verse así:

• Levántate a las 5.30 am
• Camina o corre durante 20 minutos
• Gratitud durante 5 minutos (escribe lo que agradeces)

- Medita por 5 minutos (tiempo en silencio, respira)
- Lee durante 20 minutos
- Escribe en tu diario por 5 minutos

Este ritual cambiará tu vida y te llevará al siguiente nivel en relación con la autoestima, pero también con la felicidad y el éxito. Al final del libro, encontrarás un capítulo adicional de mi libro "30 días: cambia de hábitos, cambia de vida" que lo describe con más detalle.

Por lo general, no nos cuidamos lo suficiente porque siempre estamos muy ocupados cuidando a todos los demás: nuestros trabajos, nuestras familias, nuestros amigos. Y aunque eso es muy bueno para los demás, también es un gran error. Para mantener una autoestima saludable, es importante cuidarnos bien a nosotros mismos y recordar que también tenemos necesidades y deseos que deben ser atendidos. Es absolutamente necesario tomarse un tiempo "a solas" todos los días.

# 75 - Trata tu cuerpo como un templo

¿No es irónico? Si le preguntas a la gente cuál es la cosa más importante en su vida, la respuesta será, en su mayoría, "mi salud"; sin embargo, muchas personas beben alcohol, fuman, comen comida chatarra o incluso consumen drogas, y pasan la mayor parte de su tiempo libre en el sofá sin ninguna actividad física.

Una vida más sana está a solo una decisión. Decide AHORA vivir más sano. Sigue una dieta equilibrada, haz ejercicio regularmente y mantente o ponte en forma para que tu cerebro tenga toda la nutrición que necesita para producir un estilo de vida positivo. Cuida tu cuerpo, porque si el cuerpo no está bien, la mente tampoco funciona bien. Aquí hay unos ejemplos:

Come más frutas y verduras.
Reduce la ingesta de carnes rojas.
Bebe al menos 2 litros de agua al día.
¡Come menos!
Deja de comer comida chatarra.
Levántate temprano.
Duerme lo suficiente.
Haga ejercicio al menos tres veces a la semana
etc.

Trata a tu cuerpo como un templo y tu cuerpo te compensará con una vida larga y sana. Un gran efecto secundario de una vida sana y disciplinada es que elevará automáticamente tu autoestima.

# 76 - Haz Ejercicio durante 30 minutos. Al menos tres veces a la semana

Los beneficios de hacer ejercicio al menos cada dos días son innumerables:

- Tu autoestima aumenta y experimentas menos estrés y ansiedad.
- Tu estado de ánimo aumenta y tu rendimiento en el trabajo mejora.
- Tu calidad de sueño mejora.
- Te sientes mejor y tienes mucha energía.
- Pérdida de peso.
- Tu salud mejora: las personas que hacen ejercicio son mucho menos propensas a las enfermedades físicas.
- La probabilidad de diabetes, osteoporosis, insuficiencia cardíaca, colesterol alto e incluso ciertos tipos de cáncer se reduce significativamente y el sistema inmunológico se fortalece.
- Después de salir a correr, tu cerebro es más susceptible a crear nuevas vías neuronales
- Tu memoria mejora, lo que significa que retiene material que ha aprendido mucho mejor Se vuelve mucho más creativo

Michael Babyak, de la Escuela de Medicina de Duke, realizó la investigación más increíble sobre los beneficios positivos de hacer ejercicio: tomó a 156 pacientes con depresión grave (personas en muy mal estado) que mostraban una serie de síntomas como insomnio, trastornos de la alimentación, falta de deseo de actuar,

166

estado de ánimo deprimido, muchos de ellos suicidas con intentos o pensamientos de suicidio y los dividió en tres grupos.

El primer grupo hizo 3 veces  30 minutos de ejercicio de dificultad moderada (trotar, nadar, caminar). El segundo grupo recibió medicación (Zoloft) y el tercer grupo recibió medicación y ejercicio. Después de cuatro meses, Babyak obtuvo algunos resultados sorprendentes: el 60% de los sujetos ya no experimentaban los principales síntomas de depresión, lo que significa que se recuperaron. Todos los grupos experimentaron mejoras similares en la felicidad, lo que significa que el ejercicio resultó tan útil como los antidepresivos. El grupo de medicación tardó alrededor de 10 a 14 días para superar la depresión, mientras que el grupo de ejercicio tardó cerca de un mes, pero luego no hubo diferencia. Increíble, ¿verdad? Pero hay más:

Seis meses después de que terminó el estudio, cuando los participantes ya no recibieron la medicación o dejaron de hacer ejercicio, observaron la tasa de recaída. Del 60% que mejoró, el 38 por ciento de nuestro grupo de "sólo medicación" recayó y volvió a tener depresión grave. Del tercer grupo (medicación y ejercicio) fue el 31%. Pero del grupo de ejercicios, sólo el 9% volvió a tener una depresión.

Esto significa que el ejercicio no sólo es muy poderoso para levantar el ánimo, sino también duradero. Cuidado ahora. No estoy diciendo que la medicación ya no sea necesaria, pero tal vez deberíamos preguntarnos primero si el ejercicio o la falta del mismo es la razón subyacente de la experiencia.

¡Algunas personas incluso dicen que el ejercicio es cómo tomar un antidepresivo!

Si todavía no te he convencido por ahora...quemo mi último cartucho:

También tendrás MEJOR SEXO. Tanto hombres como mujeres. El ejercicio fortalece la libido y aumenta la probabilidad de orgasmos. Las personas que hacen más ejercicio regularmente tienen más y mejor sexo.

Antes de comenzar tu programa de ejercicios, recuerda: la recuperación es muy importante y más ejercicio no siempre es mejor. Curiosamente, los síntomas del sobreentrenamiento son muy similares a los síntomas de entrenar poco. Además, no te obligues a hacer ejercicio. Haz actividades que te gusten, como nadar, por ejemplo. Incluso caminar una hora al día puede hacer una gran diferencia.

# 77 - Tómate un tiempo libre para divertirte

Con la vida estresante y acelerada que estamos viviendo, se ha vuelto aún más importante reducir el ritmo de nuestra vida y tomar un descanso. Hay mucho más en la vida que sólo aumentar su velocidad. En cambio, tómate un tiempo libre.

Recarga tus baterías al estar cerca de la naturaleza. Puedes comenzar programando un tiempo de relajación en tu horario semanal. Si te atreves, comienza a tener fines de semana en los que estás completamente desconectado de Internet, la televisión y tus juegos electrónicos.

Tómate un descanso y conéctate con la naturaleza. No tiene que ser un viaje largo. Camina por el bosque, la playa o por un parque cuando tengas la oportunidad y observa cómo te sientes después. O simplemente recuéstate en un banco o en la hierba y contempla el cielo azul. ¿Cuándo fue la última vez que caminaste descalzo sobre la hierba o sobre la arena de la playa?

La investigación más reciente descubrió que pasar tiempo fuera mejora tu estado de ánimo, amplía tu forma de pensar y mejora tu memoria de trabajo. Pero no sólo eso. Un estudio descubrió que los participantes eran mucho más felices al aire libre en entornos naturales que en los entornos urbanos.

Un elemento clave para el que siempre debes dedicar tiempo es pasar más tiempo con amigos y familiares. No mantenerse en contacto con amigos y pasar demasiado tiempo en el trabajo son dos de los cinco principales lamentos de los moribundos.

La ciencia descubrió que un factor que las personas extremadamente felices tienen en común y que los diferencia de todos los demás es la fortaleza de sus relaciones sociales. El tiempo que pasamos con la familia y los amigos hace una gran diferencia en nuestra felicidad.

Tómate un tiempo libre para tus hobbies, haz actividades que te motiven, pasa tiempo con tu familia y amigos, lee u ofrécete como voluntario. Al contrario del pensamiento común, tomarse un tiempo para hacer cosas divertidas no te hace menos, sino más productivo.

# 78 - Pasa más tiempo con tu familia

En caso de que no lo haya dejado claro en el último capítulo y sólo para asegurarme de que no lo omites, lo mencionaré una vez más. No descuides a tu familia por tu trabajo. Y no tienes que confiar en mi palabra. Uno de los mayores arrepentimientos de las personas en su lecho de muerte es haber pasado demasiado tiempo en la oficina y no el suficiente tiempo con sus seres queridos. Pero hay más. La fortaleza de tus relaciones sociales también es el predictor número uno de su felicidad futura.

¿Eres uno de los líderes y ejecutivos que pasan demasiado tiempo en el trabajo y no pasas tiempo con tu familia? ¿Y probablemente te estás justificando a ti mismo al decir que estás haciendo ésto por su familia?

¿Ves que esta justificación es algo absurda? ¿No estás pasando tiempo con tu familia, pero lo estás haciendo por tu familia? ¿Cuándo pasarás tiempo con tu familia? Cuando te jubiles? Tal vez entonces tu familia ya no quiera pasar más tiempo contigo … Y no me cuentes que llevar to hijo a un partido de fútbol con 25 años es lo mismo que con 7 años…

¡Comienza a hacer tiempo para tu familia AHORA! Es posible. Si quieres encontrar el tiempo, encontrarás el tiempo. Se trata de tus prioridades. Se trata de tus valores. La familia es lo más importante en tu vida, y si no lo es para ti, será difícil encontrar tiempo.

Haz todo lo que puedas. Y si estás con la familia, hazles un favor y está COMPLETAMENTE PRESENTE. Eso significa que no hay llamadas de trabajo, no hay correos electrónicos de trabajo. Si no tienes mucho tiempo, haz que el tiempo que pasas con tus seres queridos sea de calidad. Una hora de tiempo de calidad puede valer más que cinco horas estando medio presente o pensando en el trabajo todo el tiempo.

¡DESPIERTA! Valora a tu familia y amigos. Son tu fuente constante de amor y apoyo, lo que aumenta tu autoestima y aumenta tu confianza en ti mismo.

Como dije antes: la ciencia más reciente confirma que pasar tiempo con tus seres queridos no dañará tu productividad.

Al contrario, te hará aún más productivo.

Al menos pruébalo durante un tiempo.

# 79 - Sal a caminar todos los días

Sal y pasa tiempo en la naturaleza y conéctate con ella siempre que sea posible. Sal a correr o a caminar por las mañanas, y tendrás energía durante todo el día. Tómate el tiempo y camina por el bosque o en la playa para desconectarte del ritmo rápido y estresante de las vidas que llevamos. Mira una puesta de sol o un amanecer. Escuchar al silencio y la paz te ayudará a relajarte. Dar un paseo volverá a energizar tu cuerpo, mente y alma.

Hay un estudio de Stanford que concluye que caminar mejora tu pensamiento creativo. Otro estudio demostró que caminar media hora al día, todos los días, es tan bueno como hacer ejercicio.

Caminar 30 minutos al día, entre otros beneficios, disminuirá tu colesterol, mejorará tu rendimiento, disminuirá tus niveles de estrés, mejorará tu sistema inmunológico, eliminará la grasa y mejorará tu estado de ánimo. Puede que incluso te proteja contra el agotamiento y el *burnout*, y puedas analizar tus emociones mientras caminas.

Por último, pero no menos importante, te dormirás más fácilmente y tendrás un sueño mejor y más reconfortante por la noche. ¿Cuándo empezarás a caminar una hora por día? ¡Hazlo por 30 días y déjame saber cómo te sientes! Puede que te sientas mucho mejor después de una semana.

# 80 - El poder de la meditación

La meditación ha entrado en el *mainstream*. Tal vez ya has experimentado con ella. Si no, te lo recomiendo. Es más fácil de lo que piensas. Y en su forma más fácil, básicamente no puedes hacer nada mal. Hay varios tipos de meditación, como el yoga, centrándose en la respiración, la oración, la meditación sentada, el Tai Chi, etc.

Todas las meditaciones tienen algunas cosas en común, como enfocarse en una cosa, por ejemplo, el movimiento, la postura, la respiración o una llama y la respiración profunda. La meditación reprograma tu cerebro para la felicidad. Mejora tu enfoque y claridad. Calma la mente después de un día estresante y actúa contra la ansiedad, la ira, la inseguridad e incluso la depresión.

La meditación es una forma excelente y fácil de deshacerse del estrés y calmar nuestra mente sobrecargada de información.

Otros estudios señalan que la meditación puede reducir la presión arterial y la respuesta al dolor. Simplemente permanecer quieto entre 5 y 20 minutos, una vez al día ya puede marcar la diferencia y ayudarte a recargar las pilas. Si lo haces dos veces al día ... ¡incluso mejor!

¿Cuándo comenzarás tu hábito de meditación diaria? ¿Qué estás esperando?

Meditar durante 20 minutos al día seguramente te proporcionará excelentes resultados una vez que lo hayas convertido en un hábito. Te programará para ser más feliz e impactará en tu autoestima positivamente. Pruébalo y descubre cuál de los métodos funciona mejor para ti.

# 81 -Utiliza afirmaciones

Una gran manera de elevar tu autoestima es el uso de afirmaciones. La práctica regular de las afirmaciones puede ayudarnos a cambiar nuestras creencias sobre la vida y a nosotros mismos y, por lo tanto, reprogramar nuestras mentes. Si tienes la autoestima baja, es principalmente un producto de una programación consciente o inconsciente durante tu infancia por parte de su familia, amigos, maestros, la sociedad, los medios de comunicación e incluso por ti mismo.

Al repetir afirmaciones positivas muchas veces al día, convences a tu mente subconsciente para que las crea. Una vez que tu mente subconsciente está convencida, comienzas a actuar en consecuencia. Empiezas a creer que eres una persona con alta autoestima y luego te conviertes en ella. Sí, realmente es así de simple. Aunque tienes que practicar mucho. Las afirmaciones te ayudan a desarrollar la mentalidad, los pensamientos y las creencias que necesitas para llevar tu autoestima al siguiente nivel. Recomiendo escribir tus afirmaciones y leerlas en voz alta varias veces al día.

Es importante expresarlos de manera positiva y en el presente para que tu mente subconsciente no pueda diferenciar si ya es verdadero o "sólo" imaginado. Las afirmaciones tienen que ser personales, declaradas positivamente, específicas, cargadas emocionalmente y en tiempo presente. Aquí hay unos ejemplos:

- Merezco ser feliz y exitoso.
- Soy competente, inteligente y capaz.
- Cada día y en todos los sentidos me siento cada vez mejor.
- Amo a la persona en la que me estoy convirtiendo.
- Cumplo con todo lo que digo y hago.

Es como todo: Cuanto más practiques, mejor lo harás. La primera vez que dices "Soy una persona con una autoestima saludable y feliz por eso", tu voz interior seguirá diciendo "No, no lo eres. Eres pequeño y no tienes derecho a la felicidad." Sin embargo, después de repetirlo 200 veces al día durante una semana, deberías haber silenciado a tu crítico interior. Haz de tus afirmaciones tus acompañantes permanentes. Repítelas con la frecuencia que deseas y observa lo que sucede en tu vida.

Sin embargo, algunos estudios afirman que las afirmaciones pueden tener efectos negativos para las personas con muy baja autoestima. Si tu crítico interno simplemente no se deja convencer, si no notas ningún beneficio en absoluto, o si las cosas empeoran en lugar de mejorar - lo que puede suceder en algunos casos - prueba otras técnicas como las cintas subliminales (van directamente a tu subconsciente sin ninguna posibilidad de auto-juicio) o hazte otras preguntas como "¿Por qué estoy tan feliz? ¿Por qué todo me está saliendo bien?" ¿Acabas de notar algo?

Cuando haces una pregunta, el crítico interno se queda callado. En lugar de hablarte mal, tu mente ahora está buscando respuestas a la pregunta que hiciste. Noah St. John ha escrito un libro completo sobre el poder de hacerse las preguntas correctas. Su libro "The Book of Afformations" podría ayudarte.

# 82 - El Poder de la Visualización

Cada día, hay más pruebas científicas de que el poder de visualización realmente funciona. Por ejemplo, si miras a tu mano ahora y luego cierras los ojos y te la imaginas, gracias a la resonancia magnética, los científicos pueden ver que en tu cerebro sucede lo mismo. Para tu cerebro, no hay diferencia entre la mano "real" y la mano imaginada.

Puedes utilizar la visualización para crear imágenes mentales del comportamiento o los resultados que deseas en tu vida. Hecho con suficiente frecuencia, tu cerebro te proporcionará la motivación, las ideas y el enfoque necesarios para transformar la imagen en realidad. Sí, puedes aumentar tu autoestima visualizándote a ti mismo teniendo más autoestima. ¿No es genial?

Hay varios estudios en los que los atletas utilizaron la visualización para aumentar su rendimiento y obtener los resultados que querían. Muchas personalidades exitosas utilizan la visualización para alcanzar sus objetivos, por ejemplo, Will Smith, Jim Carrey, Oprah Winfrey, Wayne Gretzky, Jack Nicklaus, Greg Louganis, Arnold Schwarzenegger y muchos, muchos más.

¿Cómo lo haces? Visualiza tus objetivos, el rasgo de carácter que deseas o tu vida ideal durante 5 minutos. Mírate como si ya hubieras alcanzado tus metas. Pon muchas emociones y todos tus sentidos en tu visualización. Siéntelo, huélelo, óyelo.

Visualiza lo que realmente quieres. Cuanto más vívida sea su visualización, mejor será el impacto que tendrá.

Opcionalmente, incluso puedes hacer un *"Vision board"* que podría ser una hoja de cartón A3 donde colocas imágenes de lo que quieres, de quién quieres estar, de dónde quieres vivir, etc. Es bastante divertido.

Ahora, con sólo escribir esto, creo que es hora de que haga yo otro *vision board*. Iré a la tienda, compraré un par de revistas y recortaré las fotos que representan mis objetivos. Por ejemplo, una foto de la casa de mis sueños, algunos billetes de dólares para la riqueza, la vista de un auditorio completo para conferencias, etc. Probablemente lo coloque en mi dormitorio. Luego, como parte de mi ritual matutino todos los días, lo veré durante 5 minutos y lo visualizaré. Y tal vez, por otros 5 minutos antes de acostarme. ¿Por qué no?

Si tu buscas "vision board" en Google, obtendrás más de 738 millones de resultados. Estoy seguro de que puedes encontrar algo de inspiración. También puedes crear un protector de pantalla o una presentación de varias fotos en el tu computadora.

Solo una cosa más. Tener una tabla de visión no es suficiente. Si no tomas acción, si no HACES, no pasará nada. Solo alcanzarás tus objetivos a través de la acción.

# 83 - Cambia tu lenguaje corporal y tu imagen

Actúa como si. Actúa como si ya tuvieras la autoestima alta. Habla como una persona con la autoestima alta, camina como una persona con la autoestima alta, ten la postura corporal de una persona con la autoestima alta. Tu cerebro no puede diferenciar entre realidad e imaginación; Úsalo a tu favor. Fíngelo hasta que te conviertas en ello! O mejor dicho: CREÉLO y conviértete en ello. Funciona.

Sonríe mucho. Sonreír realmente te hará sentir mejor porque envía una señal a tu cerebro de que todo está marchando genial. Un efecto secundario agradable es que los demás se sentirán más cómodos a tu alrededor, lo que aumentará tu autoestima. Pensarás "Oh. Otras personas quieren estar cerca de mí; Debo ser una buena persona."

Recuerda que cuando te sientes triste y deprimido, por lo general tienes la mirada baja, miras el suelo, mantienes los hombros bajos y adoptas la postura de una persona triste, ¿verdad?
El simple hecho de poner los hombros rectos y mirar a otras personas directamente a los ojos, o mirando hacia arriba, mejorará tu bienestar y confianza. Tu lenguaje corporal en realidad influye en quién eres.

Amy Cuddy y Dana Carvey estudiaron la influencia de nuestro lenguaje corporal y los resultados fueron alucinantes. Descubrieron que mantener las llamadas "posturas de poder" durante dos minutos genera un aumento del 20 por ciento en testosterona (lo que aumenta la confianza) y una disminución del 25 por ciento en el cortisol (que reduce el estrés).

Inténtalo. En realidad ayuda antes de importantes presentaciones, reuniones, entrevistas o concursos. Pon las manos en las caderas y separa los pies (piensa en la mujer maravilla o superman) o siéntate cómodamente en una silla y separa los brazos. Mantén la postura durante al menos dos minutos ... ¡y observa qué sucede!

Para aprender más sobre ésto, mira la increíble charla TED de Amy Cuddy llamad "El lenguaje corporal moldea nuestra identidad".

# 84 - Apaga la Tele

Si deseas aumentar tu autoestima, una cosa importante que puedes hacer es apagar tu televisor. Sí. No estoy bromeando. Será absolutamente beneficioso. La televisión es uno de los mayores ladrones de energía que hay. Y lo peor es la aparente negatividad de los medios. Es un desafío construir una autoestima saludable, mientras que en la mayoría de los casos vemos odio, derramamiento de sangre, infelicidad, terrorismo, corrupción y fraude en la televisión. ¿Cómo puedes seguir siendo positivo, esperanzado y optimista en un mundo como este? ¿Alguna vez te has sentido renovado o revitalizado después de ver televisión?

¿Estoy exagerando? A ver. ¿Cuántos ladrones tienes entre tus amigos? ¿Algún asesino? ¿Terroristas? Venga. ¿Al menos algún corrupto o un estafador? No. Pues quizás el mundo no está tan mal como lo pintan los medios.

Los medios de comunicación están inclinados hacia lo negativo y las noticias en realidad nos convierten en pesimistas al magnificar lo negativo. Se nos muestra terror cuando miles de millones de personas quieren vivir en paz. Se nos muestran fraudes cuando hay miles de millones de transacciones honestas que ocurren todos los días. Se nos muestra que uno de los padres abusa de sus hijos cuando hay millones de padres que aman a sus hijos más allá de toda medida. Y mi amigo - se pone aún peor (antes de que mejore) - hay un sistema detrás de ello:

Como Dean Graziosi descubre en su libro *"Millionaire success habits"*, en la década de 1950, las portadas de la revista Time fueron aproximadamente un 90% positivas. Desafortunadamente para nosotros, los editores se dieron cuenta de que cuanto más negativas serían sus historias, más venderían; no olvidemos que los medios son empresas y QUIEREN y TIENEN QUE obtener ganancias.

Entonces, adivina qué sucedió cuando se dieron cuenta de que los superlativos negativos funcionan un 30% mejor para atraer la atención de los lectores que los positivos, o que los porcentajes de clics promedios en los titulares negativos se disparan y son un 63% más altos que los titulares positivos Exactamente. El resultado es lo que vemos hoy en todos los medios de comunicación: la negatividad.

El problema con eso es que si nos enfocamos en lo negativo todo el tiempo, si escuchamos y vemos esto todo el tiempo, acabaremos viendo más de eso. Y luego empezamos a creer que tenemos que cometer fraude para convertirnos en CEO, o tenemos que ser corruptos si queremos ser políticos. ¿Por qué? Porque los millones de personas que están teniendo éxito honestamente no son noticias.

Otro problema es que esta constante retroalimentación negativa puede llevar a la resignación. ¿Por qué empezar algo bueno si nuestro planeta está condenado? ¿Por qué enamorarse si todos los demás parecen divorciarse, etc.?

¿Por qué exponerse a tanta negatividad? ¿Por qué no sustituir tu hábito de ver la televisión por un hábito más saludable como pasear, pasar más tiempo con tu familia o leer un buen libro?

Házte un favor. ¡Apaga tu televisor, recupera tu autoestima y diviértete en el mundo real!

# 85 - Aprende a decir NO

Puede que haya personas en tu vida que intenten convencerte para que hagas cosas incluso si no quieres hacerlas y, en ocasiones, porque queremos complacer a todos, les decimos que sí, incluso si nuestra voz interior grita "NOOOOOOO". Decir sí cuando queremos decir que no perjudica nuestra autoestima y el resultado habitual es que más tarde nos sentimos tristes o incluso enojados, porque una vez más cedimos incluso cuando teníamos algo mejor que hacer.

Aprender a decir no mejorará mucho tu vida. Te volverás más auténtico porque cada vez que dices SÍ cuando quieres decir NO, pierdes un poco de ti y tu autoestima se ve afectada. Cuando decides que un "Sí" es un "Sí" y un "No" es un "No", te sentirás mucho mejor. Esto significa menos compromisos y, aunque al principio es difícil decirle a tus amigos y familiares que "NO", los beneficios son grandes.

¿No te dicen otras personas que NO a ti todo el tiempo? Todavía les quieres ¿no? Bueno, puedes empezar a decir NO tú también. También es una buena manera de filtrar a las personas tóxicas y amigos falsos. Si bien esos pueden montarte un drama, tus verdaderos amigos te entenderán y te agradecerán incluso si les dices que NO de vez en cuando. Incluso podrían quererte más porque te vuelves más auténtico.

En mi vida laboral, el impacto de decir "NO" fue aún mayor. Mejoré mucho mi vida laboral y en realidad gané mucho tiempo. Si no dices que no, serás la persona más querida en la oficina. También te sentirás totalmente abrumado, trabajando horas extras cuando otros se vayan a casa porque harás el trabajo que nadie más quiere hacer.

Las personas más exitosas dicen "No" muy a menudo. Asegúrate de decir "NO" sin sentirte culpable. Puedes explicarle a la persona en cuestión que no es nada personal contra ella, sino para tu propio bienestar. Aún puedes hacer favores a tus colegas, pero sólo si tienes suficiente tiempo y decides hacerlo.

¿Egoísta? ¡Sí! Pero no olvides quién es la persona más importante en tu vida. ¡Exacto! TU eres la persona más importante en tu vida. Tú tienes que estar bien. Sólo cuando estás bien, puedes estar bien con los demás y desde este nivel puedes ayudar a los demás. Siempre puedes ganar algo de tiempo y decir "tal vez" al principio hasta que tomes una decisión definitiva. ¡La vida se vuelve mucho más fácil si empiezas a decir "No"!

# 86 - Establece límites y prospera

Recuerda que las personas te tratan de la manera que tú les permites. Si deseas que las personas te traten de manera diferente, necesitas elevar tus estándares y establecer límites.

Los límites son cosas que las personas simplemente no pueden hacer a tu alrededor, como por ejemplo hablarte mal, hacer bromas estúpidas sobre ti, ser irrespetuosos, gritarte, llegar tarde, interrumpirte mientras hablas o mentir. Comunica tus nuevos límites claramente y se firme con ellos.

Muchas personas te dirán que ya no te conocen, que has cambiado mucho. Esos son los manipuladores. No te preocupes por ellos. Es debido a que estableciste nuevos límites en primer lugar.

Di cualquier cosa que te moleste en el acto. Eso te ahorrará muchos dolores de cabeza y el "debería haber hecho eso, podría haber hecho lo otro". Recuerda que puedes decir cualquier cosa en el tono correcto. El arte es encontrar el tono correcto.

Puedes aprender a usar el tono correcto practicando, diciendo cosas en un tono de voz neutral como dirías, por ejemplo, "el cielo es azul".
Si alguien sobrepasa tus límites, usa el siguiente sistema de cuatro pasos. Informar - pedir - insistir - alejarse.

Por ejemplo, si alguien te habla mal, tú les informas: "No me gustó ese comentario" o "No me gusta que me hables en ese tono". Si continúan, les pides que se detengan: "Por favor, deja de hablarme así".

Generalmente, eso es cuando la mayoría de la gente para, pero siempre habrá uno o dos graciosos que continúen. Con éstos tienes que ponerte un poco más serio e insistir: "Insisto en que dejes de hablarme de esta manera". Si los tres pasos no te ayudan, vete. Sal de la situación Declara neutralmente: "No puedo tener esta conversación, mientras que _____. Vamos a hablar más tarde" y aléjate

Establecer límites mejorará mucho tu vida y tu autoestima..

# Parte VII
# Estar aquí, Ahora

## 87 - Se feliz ahora

La felicidad es un viaje, no un destino. La felicidad no es algo que te suceda desde afuera. La felicidad es un hábito, un estado de ánimo. La felicidad es tantas cosas. Pero lo decisivo y más importante es: ¿Qué es la felicidad para TI?

Los últimos estudios han llegado a la conclusión de que la felicidad no es algo que te sucede desde afuera. Es una elección, pero requiere esfuerzo. La buena noticia es: se puede aprender. Son esos pequeños hábitos como la gratitud, hacer ejercicio, meditar, sonreír y preguntarse "¿Qué puedo hacer para ser más feliz en el momento presente?"

¡Puedes ser feliz ahora mismo! ¿No me crees? Bueno. Cierra los ojos por un momento. Piensa en una situación que te hizo realmente feliz.

Revive esta situación en tu mente. ¡Siéntela!, huélela, ¿qué ruidos escuchaste? ¡Recuerda la emoción y la alegría!

¿Qué? ¿Como se sintió? ¿Funcionó? ¿Cómo te sientes ahora? La felicidad no depende de tu automóvil, tu casa o cualquier cosa en el mundo exterior. ¡Puedes ser feliz aquí mismo, ahora mismo!

Según la ciencia tus circunstancias externas provocan sólo el 10% de tu felicidad. Sorprendentemente, dónde naciste, cuánto dinero ganas, dónde vives, dónde trabajas, tiene un impacto notablemente pequeño en tu felicidad.

El 50% es genético. Sí, algunas personas nacen más felices que otras. Un 40% de tu felicidad puede ser influenciado por actividades intencionales. Aquí es donde entra la gratitud, los largos paseos, la meditación. Esto también significa que si naces menos feliz, puedes mejorar tu felicidad realizando estas actividades intencionales.

No pospongas tu felicidad hacia el futuro, el nuevo apartamento, el nuevo auto, la promoción. La felicidad está aquí, ahora mismo. En un amanecer, en la sonrisa de tus hijos, en una hermosa pieza de música que estás escuchando. A veces, cuando dejas de perseguir la felicidad y simplemente paras y te quedas quieto, puedes darte cuenta que la felicidad ha estado pisándote los talones todo el tiempo.

Tu felicidad, igual que tu autoestima, depende únicamente de ti. Otras personas pueden influir en ella de manera específica, pero en última instancia, siempre eres tú quien decide, quién elige cuan feliz quieres ser.

# 88 - Se amable

Cómo tratas a los demás está muy relacionado con cómo te tratas a ti mismo. Entonces, ¡se amable! Te pagará dividendos a largo plazo.

Las emociones son contagiosas. Los científicos han descubierto que si juntas a tres personas en una habitación, la más expresiva emocionalmente contagia a las otras dos con sus emociones; esto funciona en ambos sentidos: positivo o negativo.
Elige infectar a otros con energía positiva. Será beneficioso, porque, como dicen, "lo que mandas al mundo, se te devuelve".

Ya aprendiste sobre el poder de tus palabras. Utiliza tus palabras positivamente, utilízalas para empoderar a las personas. Las palabras tienen un impacto muy significativo. Está científicamente comprobado que nuestras palabras pueden influir en el desempeño de otros. Pueden cambiar la mentalidad de una persona que a su vez cambia sus logros. Por ejemplo, cuando los investigadores les recuerdan a las personas mayores que la memoria generalmente disminuye con la edad, éstas rinden peor en pruebas de memoria que aquellas a las que no se les recordó ese detalle.

Ve la grandeza en los demás. Si puedes ver su grandeza, en realidad estás contribuyendo a esa grandeza. El Efecto Pigmalión nos enseña que nuestra creencia en el potencial de una persona despierta este potencial. Cuando creemos que nuestros colegas, amigos y familiares pueden hacer más y lograr más, ésta es a menudo la razón exacta por la que lo hacen. Desafortunadamente, ésto también funciona al revés, lo que suele darse más a menudo.

Cada vez que te encuentres con alguien, trata de ver la grandeza de esta persona. Pregúntate a ti mismo "¿Qué le hace especial? ¿Cuál es su don?" A medida que te enfocas en él, lo descubrirás. También te hace más tolerante con las personas no tan amigables. Puedes decir "Estoy seguro de que tienen grandes cualidades, y hoy sólo tienen un mal día ..."
¡Se amable! Y déjame saber cómo te va.

PD: Ser amable no significa que tengas que dejar que otras personas te engañen o decir que sí a todo. La gente amable también dice que no o ya basta.

# 89 - Prepárate

Un dicho famoso dice que "la suerte es cuando la preparación se encuentra con la oportunidad". Puede ser así o no, pero seguramente estar preparado no causa ningún daño. Aprende todo lo que hay para aprender sobre tu trabajo, sobre tu industria o sector, sobre tu presentación. Si estás preparado y tienes el conocimiento para respaldarlo, te sentirás mucho más seguro y tu autoestima aumentará.

Incluso si estamos súper preparados, siempre hay algo que no podemos saber. Prepárate para admitirlo. No tienes que saberlo todo. Mi ex profesor universitario, Ángel Miro, me dijo una vez: "Marc, no siempre tienes que tener toda la información, pero debes saber dónde encontrarla".

Sigue trabajando en tu desarrollo personal y profesional. Comprométete a convertirte en la mejor persona que puedas ser. ¡Sigue con hambre de aprender! Cuando los investigadores estudiaron personas extraordinariamente exitosas, esos tenían dos características en común que las separaban del resto. En primer lugar, creían en sí mismos. Creyeron que podían hacerlo y segundo: siempre querían aprender más. Seguían haciendo preguntas. Seguían aprendiendo.

Mantente curioso y ansioso por aprender cosas nuevas y mejorarte a ti mismo. Cuánto más sabio te vuelves, más valioso te vuelves para tu empresa.

Lee libros, participa en un taller. Hoy, puedes aprender los mejores trucos de gestión, liderazgo, gestión del tiempo o planificación financiera en un taller de dos o cuatro horas que te beneficiará para el resto de su vida.

Me propongo leer al menos un libro a la semana, comprar un curso nuevo cada dos o tres meses e inscribirme en al menos dos seminarios o talleres al año. ¿Qué vas a hacer?

# 90 - Se el cambio

A menudo, la vida sería mucho mejor y mucho más fácil si las personas cambiasen su forma de actuar y se parecieran más a nosotros, ¿verdad? O, mejor aún, si vieran el mundo exactamente como nosotros. Ay si. Eso estaría bien. No sucederá. No puedes cambiar a otras personas. Punto.

Esta es una de las razones principales por las que muchas de nuestras relaciones van cuesta abajo. Encontramos a alguien, pensamos que "cambiarán" o, peor aún, "lo cambiaré", y después de perder un precioso tiempo y energía nos damos cuenta de que no cambian. No cambiarán sólo porque queremos que lo hagan, no importa si lloramos, nos quejamos constantemente o incluso los castigamos. Sólo cambiarán si deciden cambiar. Algunos pueden cambiar por un tiempo después de que nuestro chantaje emocional tenga éxito, pero por lo general, vuelven a caer en su antiguo comportamiento natural relativamente rápido.

Entonces, lo único que puedes hacer es liderar con el ejemplo. La gente generalmente no hace lo que dices, pero hará lo que haces. Entonces, tienes que ser el cambio que quieres ver en los demás. Come más sano, haz ejercicio, se más educado, se mejor pareja, se mejor jefe, se siempre puntual, se positivo. Sé el cambio que quieres ver en el mundo.

No puedes cambiar a otras personas, PERO puedes cambiar tu actitud hacia ellos. En lugar de pasar el tiempo para convencerlos de que hagan lo que quieres que hagan, es mucho más rápido y realista cambiar tu actitud hacia ellos y sus acciones y comportamiento. Créeme, una vez que aceptes este concepto, borrarás muchos pequeños problemas de tu vida.

Recuerda:
1. Se el cambio
2. Cambia tu actitud hacia las personas que quieres cambiar.

# 91 - Haz la diferencia - El poder de uno

En un mundo lleno de problemas, guerras, escándalos, corrupción, terrorismo, cambio climático y mucho más ... ¿qué puedes hacer TU para marcar la diferencia? ¿Hay algo? Sí. Tengo buenas noticias para ti. Eres más poderoso de lo que crees.

Generalmente subestimamos nuestro poder para generar cambio. ¡Sí! Una persona realmente puede hacer una diferencia significativa. ¿Por qué? Porque cada cambio comienza en la mente de una sola persona y luego se expande. Y mi amigo ... Se expande exponencialmente.
Subestimamos nuestra capacidad para generar cambios porque subestimamos el potencial de la función exponencial.
Pensemos, por ejemplo, en la naturaleza exponencial de las redes sociales. Se dice que dentro de los seis grados de separación estamos todos conectados en este planeta.

Eres mucho más poderoso de lo que crees. Aunque hay muchas cosas en este mundo que no puedes controlar, también hay cosas que puedes controlar. No detendrás la contaminación mundial, pero puedes caminar, ir en bicicleta o en transporte público o separar tu basura.

Puedes elegir alimentos más sanos (Dicen que por cada día que comes una dieta vegana ahorras aprox. 4163 litros de agua, 20 kilos de cereales, 2,78 metros cuadrados de tierra boscosa, 9 kilos de equivalente de $CO_2$ y una vida de un animal. Estos números son del documental "Cowspiracy" - aquí te los dejo). Si no estás satisfecho con la política de una determinada empresa, puedes dejar de comprar sus productos. Sí, sólo eres uno. Pero si mil personas hacen lo mismo seguramente alguien lo notará.

En estos tiempos difíciles, puedes decidir ser cortés y amable con todos los que conozcas, sin importar su color, nacionalidad o religión. Puedes decidir influenciar positivamente los 4 metros cuadrados que te rodean. ¿Qué pasaría si todos hicieran lo mismo?

Puedes regalar cinco sonrisas al día. Las sonrisas son contagiosas y si todos a los que le sonríes, sonríen a otras cinco personas, en nada el mundo entero estará sonriendo :-) Lo mismo sucede cuando felicitas a las personas o las haces sentir bien.
Estamos influyendo en las personas cada minuto de nuestra vida con nuestras acciones y emociones. La única pregunta es: ¿en qué dirección vamos a hacerlo?

¡Abraza y ten claro el poder de UNO! Será muy beneficioso para tu autoestima.

## 92 - Perdónales a todos

Ser una persona que perdona no sólo es bueno para tu autoestima, sino que también es crucial en tu viaje hacia el éxito y la felicidad.

Lo sé. ¿Por qué perdonar a alguien que te hizo mal? Pues porque no se trata de tener razón o no, se trata de que estés bien y de que no desperdicies energía. Estar resentido o enojado con la gente, o incluso peor, revivir el odio y la ira una y otra vez es tóxico. Es malo para tu energía; es malo para tu salud, es malo para tus relaciones, así que, hazte un favor y perdona. Puede ser difícil de aceptar, pero no lo estás haciendo por la otra persona, lo estás haciendo por ti mismo. Una vez que perdones y sueltes, dormirás mejor, disfrutarás más de tus momentos presentes y te quitarás un gran peso de los hombros.

Dicen que estar enojado y tener resentimientos hacia otra persona es como beber veneno y esperar que la otra persona muera por ello. En otras palabras, es una locura y simplemente te haces daño a ti mismo. Tener rencor te hace daño a ti más que nadie. Los sentimientos negativos que estás sintiendo dañarán tu salud y tu carácter, y lo que es peor, mantener tu atención en las heridas del pasado podrían atraer aún más experiencias desagradables a tu vida.

Sin embargo una cosa está clara. Perdonar a los demás no significa que seas estúpido. O ser una persona "perdonadora" no significa que la gente pueda hace contigo lo que les gusta. Establece límites claros, pon límites al comportamiento de los demás o ponles en su sitio si hace falta. Expulsa a las personas que te han hecho daño de tu vida, pero no guardes rencor. Déjalos ir, perdónalos, olvídalos y sigue adelante. Aprende de la experiencia y ábrete a nuevas y mejores experiencias por venir.

Además, aunque esto puede ser un poco incómodo: Pide perdón. Llama a las personas a quienes has perjudicado o hecho daño, y discúlpate honestamente, o al menos escríbeles una carta.

# 93 - Perdónate a ti mismo

Si hay un atajo hacia una autoestima saludable, probablemente sea éste. Cuando logras perdonarte, llevas tu autoestima a otro nivel. Se trata de ser amables con nosotros mismos y tener compasión, no sólo por los demás sino por nosotros mismos. (No confundas esto con la autocompasión, que es tóxica).

Una de las razones de la baja autoestima es que nos sentimos culpables por algo que hemos hecho o dejado de hacer, por lo que es esencial perdonarse. Una vez que hayas hecho ésto, tu autoestima aumentará y también serás más capaz de perdonar a los demás.

Perdónate a ti mismo, acepta tus errores y comprométete a no repetirlos, perdónate por tus debilidades (sólo eres humano y no tienes que ser perfecto) y trabaja en tus puntos fuertes. Perdónate por tus pecados y no los repitas si es posible.

Para tener una autoestima saludable, debes ser tu mejor amigo, aceptarte y perdonarte primero. Una vez que hayas hecho ésto, el resto seguirá.

¡Los cambios que verás cuando logres perdonarte son absolutamente asombrosos! A veces las enfermedades desaparecen; a veces, el perdón a uno mismo elimina el último bloque de energía para permitir que la riqueza entre en tu vida. Solo házlo y observa lo que el perdón hará por ti en tu vida.

# 94 - No te tomes el rechazo como algo personal

Uno de los mayores temores que tenemos es el miedo al rechazo. ¿Cuántas cosas ni siquiera intentamos, porque tememos el rechazo? No enviamos la oferta. No hablamos con el extraño que nos sonrió en el tren. No pedimos el negocio. No enviamos nuestro CV.

La buena noticia es: puedes aprender a manejar el rechazo. Tienes que aprenderlo. De vez en cuando serás rechazado. Es inevitable. Y está bien. Imagina lo aburrida que sería la vida si nunca te rechazaran …

Cuánto mayor sea tu autoestima, menor será tu miedo al rechazo, y cuanto menor sea tu miedo al rechazo, mayor será tu autoestima. Ten en cuenta que el miedo al rechazo puede ser solo una película que se está reproduciendo en tu mente y, sobre todo, no te tomes el rechazo personalmente. El rechazo no tiene nada que ver con tu valor intrínseco como persona.

Lo divertido es que si te rechazan, nada ha sucedido. Lee esto otra vez: si te rechazan, nada ha sucedido. Si pides a alguien que salga contigo y él o ella no quiere salir contigo, en realidad nada ha cambiado. Él o ella no estaba saliendo contigo antes, y él / ella no está saliendo contigo ahora. Si quieres hacer una venta y el cliente no quiere comprar, nada ha sucedido. Si solicitas un empleo y no lo obtienes. Nada ha sucedido realmente. No tenías este trabajo antes, y ahora sigues sin tenerlo. Ser rechazado no es el problema.

Tu diálogo interior después de ser rechazado es el problema: "Simplemente no soy lo suficientemente bueno. Sabía que lo arruinaría. Mamá / Papá tenía razón. Nunca lograré nada en la vida."

No te tomes el rechazo personalmente y sigue intentándolo. En los últimos dos años, me rechazaron tantas veces que ni siquiera sé cuántas. Y me dolió, no te mentiré. Pero seguí intentándolo y, con paciencia y persistencia, las cosas finalmente se resolvieron. Fui rechazado por docenas de editores porqué mi libro para ellos no valía. Hoy vendo más que la mayoría de sus autores. Fui rechazado por muchos agentes literarios; ahora tengo más agentes que Neymar. Los bancos no me prestaban dinero para invertir. Volví mejor preparado y conseguí un trato mucho mejor.

Si necesitas escuchar unos 100 "No" por día, para realizar cinco ventas, ¿lo harías? El problema es que muchas personas no están dispuestas a hacerlo. Es simplemente un juego de números.

Prepárate para el rechazo. Gestiónalo cuando llegue y sigue empujando. Cuando alguien te dice "No, gracias", tu piensa "El SIGUIENTE por favor".

# 95 - Suelta el pasado

Soltar al pasado y aprender del comportamiento pasado es crucial para desarrollar una autoestima saludable. Sentirte culpable por las cosas que has hecho, o quedarte estancado en situaciones que ya han pasado no es aprender del pasado. Cada momento que pasas en tu pasado es un momento que robas a tu presente y futuro. No puedes funcionar en el presente, mientras vives en el pasado. Ninguna mente en el mundo puede hacer frente a dos realidades a la vez.

No te aferres a tus dramas reviviéndolos de forma indefinida. ¡SUÉLTALO! Se acabó. Concéntrate en lo que quieres en su lugar. Y no puedes cambiar lo que ha pasado. Lo que puedes hacer es vivir tu presente con mayor conciencia, sabiendo que ésto es lo que dará forma a tu futuro.

Sólo cuando te atreves a soltar lo viejo, puedes estar abierto a nuevas cosas que entran en tu vida. No pierdas el tiempo pensando en cosas que podrían o deberían haber sucedido o que no funcionaron como querías en el pasado. ¡No tiene sentido! Tu vida refleja aquello en lo que te concentras predominantemente. Si tu enfoque se centra principalmente en tu pasado, en el "podría, debería, habría", estarás constantemente frustrado, ansioso y confundido en el presente. Este es un precio demasiado alto para pagar.

Aprende de tus experiencias pasadas y sigue adelante.

Eso es todo lo que tienes que hacer de ahora en adelante. Fácil, ¿no? Ésto significa reconocer tus errores y, en la medida de lo posible, no repetirlos.

Concéntrate en lo que quieres hacer bien en el futuro y no en lo que salió mal en el pasado. Necesitas soltar el pasado para que seas libre y puedan entrar cosas nuevas en tu vida. Suelta el equipaje viejo y termina los asuntos pendientes con la gente. Torturarte por lo que has hecho, sentirte culpable, avergonzado o incluso indigno es un puro desperdicio de valioso tiempo y energía. Estas emociones negativas solo evitarán que disfrutes el presente. Haz como dice Deepak Chopra: Usa tus recuerdos, pero no permitas que tus recuerdos te utilicen. Completa el pasado para que puedas estar libre para disfrutar del presente.

A partir de ahora, adopta la mentalidad de que siempre terminarás todo. No dejes nada incompleto en tus relaciones, trabajo y en todas las demás áreas. Perdónate y sigue avanzando con una actitud positiva.

# 96 - No seas celoso

Hablemos de una emoción realmente tóxica. Una emoción que las personas con alta autoestima no tienen ... o al menos no muy a menudo. Celos. Es una emoción totalmente inútil. En primer lugar, ser celoso o envidioso del estilo de vida, dinero, apariencia o amigos de otras personas no tiene ningún beneficio para ti. Por ejemplo, estar celoso del dinero de otras personas no te traerá ese dinero. Estar celoso de lo guapas son otras personas no te hará más guapo

Las constantes emociones negativas de los celos y la envidia te harán sentir miserable, y podrías "atraer" aún más miseria a tu vida. No solo fomentan el descontento y la angustia, los celos, por ejemplo, pueden aumentar las hormonas del estrés en tu cuerpo. Con el tiempo, llevan al resentimiento y la amargura y nos hacen hacer cosas que normalmente no haríamos. En el peor de los casos, podemos llegar a una espiral descendente que termina en depresión. Psicológicamente, los celos y la envidia están vinculados a una baja autoestima y personas inseguras.

Entonces, ¿qué puedes hacer para superar esos sentimientos y, aún mejor, cómo puedes usarlos positivamente, por ejemplo, como motivación e inspiración? Puede que no lo creas, pero he estado celoso y he tenido envidia de otras personas durante un largo período de mi vida. Sip. Yo. Cuando cambié mi perspectiva, empecé a salir de estas emociones tóxicas. Así es como lo hice:

Toma conciencia de que las emociones de los celos y la envidia se arrastran en tu mente, date cuenta de que sentirte celoso o envidioso es una pérdida de tiempo y luego reoriéntalos. Sustitúyelos por pensamientos positivos y pregúntate "¿Por qué me siento así ahora?". Por ejemplo, si sientes envidia por el ascenso de un colega. En lugar de amargarte, pregúntate: "¿Qué puedo hacer para obtener un ascenso?" Acepta que estos sentimientos están ahí y que está bien tener sentimientos de envidia y celos de vez en cuando. Es completamente humano. Ten en cuenta que una cosa es tener estos sentimientos de envidia y celos, mientras que ACTUAR como una persona celosa es algo completamente diferente. Los pensamientos de envidia no te hacen una mala persona. Es humano. La pregunta es cómo eliges comportarte como resultado de ello.

Ámate a ti mismo. Mi mejora comenzó cuando leí en algún lugar que los celos son un signo de baja confianza en ti mismo y baja autoestima. Entonces, cada vez que tenía celos, me recordé que esto es un signo de baja autoestima y que tenía que trabajar en ello. Cuanto más te ames, más cómodo te sientas contigo mismo, mayor será tu autoestima, menos celoso y envidioso te sentirás. Deja de comparar. Practica la gratitud en su lugar. Cuenta tus propias bendiciones en lugar de las bendiciones de otras personas. Probablemente, sólo este ejercicio puede "curarte" de los celos y la envidia, si lo practicas durante tres o cuatro semanas.

Rodéate de personas seguras y pasa un tiempo con personas agradecidas mientras te mantienes alejado de las personas tóxicas. No salgas con personas que solo envían malas vibraciones, que constantemente hablan mal de los demás y que irradian celos y odio. Comienza a celebrar la prosperidad y el éxito de los demás. Ya sea que tu compañero de trabajo obtenga un ascenso o tu mejor amigo tenga nueva pareja, o cada vez que alguien obtenga algo que tu deseas ... Siéntete realmente feliz por ellos. El éxito de tus amigos o colegas no significa que tu estés fallando.

# 97 - Presta atención y disfruta de tu vida mientras vives

Es muy importante disfrutar del momento presente. Si no lo haces, entonces la vida pasa y ni siquiera lo notarás, porque nunca estás aquí, en el momento presente. Cuando estás trabajando, piensas en el fin de semana. El fin de semana, piensas en todas las cosas que tienes que hacer el lunes. Cuando comes el entrante, piensas en el postre, y cuando comes el postre, piensas en el entrante. El resultado es que nunca puedes disfrutar plenamente ni lo uno ni lo otro.

Viviendo así, nunca podrás disfrutar de tu punto de poder, el único momento que cuenta: el momento presente. Eckart Tolle escribió un libro completo sobre "El poder de AHORA", que te recomiendo encarecidamente.
Piénsalo: ¿Tienes algún problema AHORA MISMO. En este momento? Pues No. No lo tienes. Tiene un problema cuando piensas en el pasado o cuando piensas en el futuro. Es posible que tengas un problema en un minuto cuando empiezas a pensar y preocuparte nuevamente, pero EN ESTE MOMENTO no tienes ningún problema.

¿Vives constantemente con culpa por tus acciones pasadas y con miedo a un futuro desconocido? Muchas personas se preocupan constantemente por cosas en el pasado que no pueden cambiar, o cosas en el futuro que - y eso en incluso más divertido - en su mayoría nunca sucederán. Mientras tanto, se están perdiendo el AHORA, y todo lo que tienes es ahora. Estate presente y disfruta del viaje. Si la mayoría de tus momentos presentes son buenos, tu futuro automáticamente será brillante.

# 98 - No eres lo que te sucedió en tu pasado

No importa lo que sucedió en tu pasado, tú no eres tu pasado.

No importa lo que la gente, o tu mismo, te están diciendo ...
... No eres tus hábitos pasados.
... No eres tus fracasos pasados.
... No eres como otros te han tratado.

Eres quien crees que eres ahora mismo, en este momento.
Eres lo que haces ahora mismo, en este momento.

No importa lo que haya pasado en tu pasado. Tu futuro es una hoja en blanco. En este momento, puedes tomar la decisión de vivir tu vida de una manera u otra. Ahora mismo puedes decidir en qué dirección moverte. ¿Irás por el camino fácil? ¿El camino de la víctima, culpar a los demás por lo que está sucediendo en tu vida? ¿O tomarás las riendas de tu vida, tomarás el camino menos transitado, adoptarás una actitud positiva y sacarás lo mejor de lo que te sucede en su vida?

Puedes reinventarte ahora mismo. Cada día trae consigo la oportunidad de comenzar una nueva vida. Lo bueno es que puedes elegir tu identidad en cada momento. ¿Quién vas a ser? ¿Qué vas a hacer? Depende de ti decidir quién vas a ser a partir de este día. Si lo sé. Da miedo. Pero también es ¡la libertad más grande! Eres el escritor, director y actor principal de tu historia. Entonces, si no te gusta cómo se está desarrollando la historia ... ¡cámbiala! Tus decisiones y tu actitud hacen tu vida.

Si HACES algunas de las cosas sugeridas en este libro, creas nuevos hábitos y si sólo realices algunos de los muchos ejercicios que encontrarás aquí constantemente, las cosas comenzarán a cambiar. No va a ser fácil, y necesitarás disciplina, paciencia y persistencia. Quizás te caerás una y otra vez y tendrás que volver a levantarte - pero los resultados vendrán.

# 99 - Renuncia a vivir en el pasado o a preocuparte por el futuro

Esta cita del Dalai Lama dice todo lo que necesitas saber para preocuparte. Lee con atención lo que dice. "Si un problema tiene arreglo, arréglalo, si una situación es tal que puedes hacer algo al respecto, entonces no hay necesidad de preocuparte. Si no tiene arreglo, entonces preocuparse no ayuda. No hay ningún beneficio en preocuparse en absoluto".

La mayoría de nosotros nos preocupamos constantemente. O bien sobre cosas que sucedieron en el pasado que no podemos arreglar, o sobre las cosas en el futuro que ni siquiera sabemos si alguna vez ocurrirán, o sobre cosas sobre las que no tenemos control, como la economía, las guerras y la política. .

No sé tú, pero en mi vida, la mayoría de las cosas por las que me preocupé nunca sucedieron. Las cosas que sucedieron fueron mucho menos catastróficas de lo que imaginaba, y las cosas realmente malas, la muerte de seres queridos, accidentes, enfermedades, siempre fueron inesperadas y pasaron cuando menos me preocupaba.

No podrás cambiar el pasado ni el futuro, no importa cuánto te preocupes, ni la preocupación hace que las cosas mejoren, ¿verdad? A veces, en realidad empeora las cosas, y lo peor es que mientras te preocupas, pierdes lo precioso del momento presente.

Aquí está un pequeño ejercicio:
Coge un boli y papel. Ahora mismo. Listo?

1) Anota todas tus preocupaciones. Todas. ¿Tienes una lista larga?
2) Ahora, borra o tacha todas tus preocupaciones que estén relacionadas con el pasado o las acciones pasadas que no se puedan corregir ni cambiar.
3) A continuación, borra o tacha todas las preocupaciones sobre el futuro que probablemente nunca sucederán.
4) Ahora borra o tacha todas las preocupaciones que estén fuera de tu control.
5) Además, borra las preocupaciones relacionadas con las opiniones de otras personas que ni siquiera te interesan.

De acuerdo. Mira tu lista ahora. Todo lo que no has borrado o tachado son cosas o tareas que requieren tu atención. ¿Cuánto queda de tu larga lista? Por experiencia, diría máximo un 10%.

Eso significa que el otro 90% son cosas sobre las que no puedes hacer nada al respecto  y que también podrías dejarlas porque todo lo que hacen es tomar espacio en tu cerebro y drenarte de energía.

¿Cómo te sentirías si eliminaras este 90%?

# 100 - Muestra amabilidad y respeto a todo el mundo

Recuerda que cada persona que conoces en tu viaje de la vida tiene una historia propia. Probablemente haya pasado por algo que la ha forzado a crecer y la ha cambiado. No olvides que cada persona que te encuentras en la calle probablemente tenga una historia tan convincente y complicada como la tuya o incluso más. Todas las personas que conoces son tan extraordinarias como tú, incluso si a primera vista no lo parecen.

Lo menos que puedes hacer es darles una oportunidad. Dales la oportunidad de formar parte de tu vida o de interactuar sin juzgarlas y descartarlas de inmediato. Todo el mundo tiene algo que ofrecer.

Algunos de mis mejores amigos son personas que cuando los conocí por primera vez pensé "Qué tipo más raro" o "No parece ser muy inteligente". Si me hubiera guiado por estos juicios superficiales, habría perdido grandes amistades. Cuando miro hacia atrás en mi vida, me doy cuenta de que las mejores experiencias en mi vida vinieron de darle una oportunidad a la gente, incluso si mi primera impresión me aconsejó en contra.

Por supuesto, otras muchas veces, mi primera impresión también fue correcta, y acabé llevándome una decepción.

Pero ese es un precio que estoy dispuesto a pagar por las buenas experiencias que se obtienen al darle una oportunidad a la gente. Si están a la altura de esa oportunidad, ¡genial! Si no, es su problema.

Trata a todo el mundo con amabilidad y respeto. Todos lo merecen, incluso los que son groseros contigo. Los groseros y los enfadados son probablemente los que más necesitan tu amabilidad. Si la gente es grosera contigo, es su problema, no el tuyo. Se amable. Si tratas a todos con paciencia y respeto, ellos notarán tu amabilidad y probablemente te la devolverán. Si eres amable, atraerás gente agradable a tu vida a largo plazo.

Un buen truco es que si alguien es grosero, tú te vuelves cada vez más amable, y cuanto más grosero se vuelve el, más amable te vuelves tu. Funciona en el 99% de los casos, ya que terminarás ganando su simpatía. No están acostumbrados a ésto porque generalmente se alimentan de personas que se ponen a la defensiva y enojadas con ellos. Gente que sigue grosera cuando tú eres super amable probablemente tienen problemas más graves. Simplemente no es normal contestar siendo grosero a alguien que es amable contigo. Lo podemos observar en nosotros mismos.

Se amable Vale la pena. Ser amable con la gente es excelente para tu autoestima porque pensarás: "Trato a las personas con amabilidad, debo ser una buena persona". Y luego porque "el autoconcepto es el destino", tu autoestima aumentará.

# Epilogo

Millones de personas en todo el mundo sufren de baja autoestima. No estás solo.

Espero que este libro te haya ayudado a entender que ya eres suficiente. Tu vales.

Quiero que sepas que puedes hacerlo, averigua en qué eres bueno y que sepas que puedes lograrlo.

Ámate a ti mismo como amas a tus vecinos y amigos y sé extremadamente amable contigo mismo.

Haz los ejercicios de este pequeño libro que mejor se adapten a ti y repítelos a menudo.

Tener altos niveles de autoestima y confianza en ti mismo te ayudará a enfrentar cualquier situación y tomar la mejor acción. Podrás lidiar mejor con eventos inesperados e indeseables. Tus relaciones personales mejorarán a medida que te comuniques mejor y sabrás que a veces es mejor no tener razón, pero estar en paz.

Tu mejor autoestima resultará en que seas más exitoso, tengas mejores relaciones e incluso serás más saludable.

Espero que a estas alturas ya estés liberado de las críticas y juicios de otras personas y que puedas expresar mejor tus pensamientos, sentimientos, valores y opiniones.

Has aprendido que tu autoestima no proviene del exterior, de la aceptación de los demás, sino del interior. Y eso es algo de lo que TÚ tienes el control.

Con la desaparición de las dudas y la autotortura, puedes concentrarte en tus fortalezas y experimentar más felicidad y disfrute en todas las áreas de tu vida.

Ha sido un honor acompañarte en tu viaje. Ahora practica, practica, practica y aumenta tu autoestima.

¡Que te diviertas!

Me encantaría saber sobre tu progreso. Puedes enviarme un correo a marc@marcreklau.com

# Necesito tu ayuda

¡Muchas gracias por descargar o comprar mi libro!

Realmente aprecio tus comentarios y me encanta escuchar lo que tienes que decir. Su aporte es importante para mí para hacer que mi próximo libro sea aún mejor.

Si te gustó el libro, ¡Por favor se tan amable y deja un comentario honesto en Amazon! Aunque cinco estrellas serían geniales ;-)

¡Realmente ayuda a otras personas a encontrar el libro!

¡¡Muchas gracias!!
Marc

# Trae los pasos simples de 30 DÍAS a tu organización

Ayuda a cada miembro de tu organización a tener éxito. Mi libro más vendido en todo el mundo *30 DÍAS - cambia de hábitos, cambia de vida* está disponible a un precio especial en pedidos al por mayor para empresas, universidades, escuelas, gobiernos, ONGs y grupos comunitarios.

Es el regalo ideal para inspirar a tus amigos, colegas y miembros del equipo para que alcancen su máximo potencial y realicen cambios reales y sostenibles.

Contacta a marc@marcreklau.com para más información.

Si quieres que haga una presentación o formación basada en *30 DÍAS* o *Destino Felicidad (Planeta),* en tu empresa contáctame con un correo electrónico a marc@marcreklau.com

# Sobre el Autor

Marc Reklau es Consultor de desarrollo personal, conferenciante y autor de 9 libros, incluido el bestseller internacional *"30 DÍAS - cambia de hábitos, cambia de vida"*, que desde abril de 2015 se ha vendido y descargado más de 200,000 veces y se ha traducido a más de 15 idiomas entre ellos el español, alemán, japonés, tailandés, indonesio, portugués, chino, ruso y coreano.

Escribió el libro en 2014 después de ser despedido de su trabajo y, literalmente, pasó del paro a Bestseller (que en realidad es el título de su segundo libro).

La versión en español de su libro "Destino de Felicidad" fue publicada por el grupo Editorial más importante de España - Planeta en enero de 2018.

La misión de Marc es capacitar a las personas para crear la vida que desean y darles los recursos y las herramientas para que esto suceda.

Su mensaje es simple: muchas personas quieren cambiar las cosas en sus vidas, pero pocas están dispuestas a hacer un conjunto simple de ejercicios constantemente durante un período de tiempo. Puedes planificar y crear éxito y felicidad en tu vida instalando hábitos que te apoyen en el camino hacia tus metas.

Si deseas trabajar con Marc, comunícate con él directamente en su página web www.marcreklau.com, donde también encontrarás más información sobre él.

También puedes conectarte con él en Twitter @MarcReklau, Facebook, Instagram.

# Otros libros de Marc que te podrían gustar

**30 DÍAS -Cambia de hábitos, cambia de vida**
Contiene las mejores estrategias para ayudarte a crear la vida que deseas. El libro se basa en la ciencia, la neurociencia, la psicología positiva y los ejemplos de la vida real, y contiene los mejores ejercicios para crear rápidamente un impulso hacia una vida más feliz, más saludable y más rica.
¡Treinta días realmente pueden hacer una diferencia si haces las cosas de manera consistente y desarrollas nuevos hábitos!

*Más de 200,000 ventas y descargas desde marzo de 2015.*

**Del Paro a Amazon Bestseller**
De Jobless a Amazon Bestseller te muestra el sistema simple, paso a paso, que el autor Marc Reklau utilizó para escribir, autopublicar, comercializar y promocionar su libro a más de 200,000 ventas y descargas en Amazon y en editoriales en el mundo.

**La Revolución de la Productividad**
¿Qué pasaría si pudieras aumentar dramáticamente tu productividad? ¿Qué pasaría si pudieras dejar de sentirte abrumado y obtener una hora adicional al día para hacer las cosas que amas? ¿Qué significaría finalmente tener tiempo para pasarlo con tu familia, un tiempo para leer o hacer ejercicio para ti?

Aprenda las mejores estrategias para duplicar tu productividad y por fin hacer las cosas en este libro. *¡Más de 15,000 lectores ya han mejorado su productividad!*

## Destino Felicidad

En este libro, el autor *bestseller*, Marc Reklau, te muestra ejercicios y hábitos científicamente comprobados que te ayudan a lograr una vida exitosa, significativa y feliz.
La ciencia ha demostrado que la felicidad y el optimismo se pueden aprender. ¡Aprende los mejores métodos científicamente comprobados para mejorar tu vida ahora y no te dejes engañar por la simplicidad de algunos de los ejercicios!

## El Poder de la Gratitud

En su libro "El poder de la gratitud", el autor bestseller internacional y consultor de desarrollo personal Marc Reklau revela los beneficios científicamente comprobados de la gratitud. La gratitud se considera la mejor intervención, y la más impactante, de la psicología positiva. Cuando cultivamos la gratitud, cambiamos la forma en que sentimos lo que cambia la forma en que actuamos y, por lo tanto, nuestros resultados.
Estar agradecido por todo lo que tienes en la vida e incluso las cosas que aún no tienes cambiarán todo. Cuanto más agradecido estés, mejor será tu vida. a.

## Una última cosa...

Si mis libros te inspiraron y quieres ayudar a otros a alcanzar sus metas y mejorar sus vidas, aquí hay algunos pasos de acción que puedes tomar de inmediato para hacer una diferencia positiva:

Regala mis libros a amigos, familiares, colegas e incluso extraños para que ellos también puedan aprender que pueden alcanzar sus metas y vivir vidas geniales.

Comparte tus opiniones sobre este libro en Twitter, Facebook e Instagram (¡etiquétame!) o escribe una reseña de libro. Eso ayuda a otras personas a encontrar 30 DÍAS.

Si eres dueño de un negocio o si eres gerente, o incluso si no lo eres, regala algunas ejemplares a tu equipo o empleados y mejora la productividad de tu empresa.

Contactame en **marc@marcreklau.com**. Te daré un descuento del 30% en compras al por mayor (Excepto en Destino Felicidad que es de PLANETA)

Si tienes un Podcast o conoces a alguien que tiene uno, pídeles que me entrevisten. Siempre estoy feliz de difundir el mensaje de 30 DÍAS y ayudar a las personas a mejorar sus vidas. También puede pedirle a tu periódico local, estación de radio o medios de comunicación en línea que me entrevisten :)

Lightning Source UK Ltd.
Milton Keynes UK
UKHW031059240221
379312UK00001BA/89